Forum

Recueil de nouvelles

Français

2e cycle du secondaire

Deuxième année

Forum
Français, 2e cycle du secondaire, 2e année

Recueil de nouvelles

© 2009 Les Éditions de la Chenelière inc.

Édition : Ginette Létourneau
Coordination : Valérie Harbec, Simon St-Onge
Correction d'épreuves : Lucie Lefebvre
Infographie : Fenêtre sur cour
Conception de la couverture : Chantale Audet, Josée Brunelle
Demandes de droits : Marie-Chantal Laforge, Christine Guilledroit
Rédaction des notices biographiques : Simon St-Onge
Impression : Imprimeries Transcontinental

Source

Couverture : Quint Buchholz, *Sur le chemin du retour*, huile sur toile, Sanssouci im Carl Hanser Verlag München Wien (1997).

GRAFICOR
CHENELIÈRE ÉDUCATION
7001, boul. Saint-Laurent
Montréal (Québec) Canada H2S 3E3
Téléphone : 514 273-1066
Télécopieur : 450 461-3834 / 1 888 460-3834
info@cheneliere.ca

TOUS DROITS RÉSERVÉS.
Toute reproduction, en tout ou en partie, sous quelque forme et par quelque procédé que ce soit, est interdite sans l'autorisation écrite préalable de l'Éditeur.

ISBN 978-2-7652-0799-3

Dépôt légal : 1er trimestre 2009
Bibliothèque et Archives nationales du Québec
Bibliothèque et Archives Canada

Imprimé au Canada

1 2 3 4 5 ITIB 12 11 10 09 08

Nous reconnaissons l'aide financière du gouvernement du Canada par l'entremise du Programme d'aide au développement de l'industrie de l'édition (PADIÉ) pour nos activités d'édition.

Gouvernement du Québec – Programme de crédit d'impôt pour l'édition de livres – Gestion SODEC.

Table des matières

Le chat noir

Edgar Allan Poe

Première parution : 1843.
Œuvre traduite de l'américain.
Nouvelle fantastique.

Relativement à la très-étrange et pourtant très-familière histoire que je vais coucher par écrit, je n'attends ni ne sollicite la créance. Vraiment, je serais fou de m'y attendre dans un cas où mes sens eux-mêmes rejettent leur propre témoignage. Cependant, je ne suis pas fou, – et très-certainement je ne rêve pas. Mais demain je meurs, et aujourd'hui je voudrais décharger mon âme. Mon dessein immédiat est de placer devant le monde, clairement, succinctement et sans commentaire, une série de simples événements domestiques. Dans leurs conséquences, ces événements m'ont terrifié, – m'ont torturé, – m'ont anéanti. – Cependant, je n'essayerai pas de les élucider. Pour moi, ils ne m'ont guère présenté que de l'horreur : – à beaucoup de personnes ils paraîtront moins terribles que *baroques*. Plus tard peut-être, il se trouvera une intelligence qui réduira mon fantôme à l'état de lieu commun, – quelque intelligence plus calme, plus logique et beaucoup moins excitable que la mienne, qui ne trouvera dans les circonstances que je raconte avec terreur qu'une succession ordinaire de causes et d'effets très-naturels.

20 Dès mon enfance, j'étais noté pour la docilité et l'humanité de mon caractère. Ma tendresse de cœur était même si remarquable qu'elle avait fait de moi le jouet de mes camarades. J'étais particulièrement fou des animaux, et mes parents m'avaient permis de posséder une grande variété de 25 favoris. Je passais presque tout mon temps avec eux, et je n'étais jamais si heureux que quand je les nourrissais et les caressais. Cette particularité de mon caractère s'accrut avec ma croissance, et, quand je devins homme, j'en fis une de mes principales sources de plaisir. Pour ceux qui ont voué 30 une affection à un chien fidèle et sagace, je n'ai pas besoin d'expliquer la nature ou l'intensité des jouissances qu'on peut en tirer. Il y a dans l'amour désintéressé d'une bête, dans ce sacrifice d'elle-même, quelque chose qui va directement au cœur de celui qui a eu fréquemment l'occasion de vérifier la 35 chétive amitié et la fidélité de gaze de l'homme *naturel*.

Je me mariai de bonne heure, et je fus heureux de trouver dans ma femme une disposition sympathique à la mienne. Observant mon goût pour ces favoris domestiques, elle ne perdit aucune occasion de me procurer ceux de l'espèce la 40 plus agréable. Nous eûmes des oiseaux, un poisson doré, un beau chien, des lapins, un petit singe et *un chat*.

Ce dernier était un animal remarquablement fort et beau, entièrement noir, et d'une sagacité merveilleuse. En parlant de son intelligence, ma femme, qui au fond n'était 45 pas peu pénétrée de superstition, faisait de fréquentes allusions à l'ancienne croyance populaire qui regardait tous les chats noirs comme des sorcières déguisées. Ce n'est pas qu'elle fût toujours *sérieuse* sur ce point, – et, si je mentionne la chose, c'est simplement parce que cela me revient, en ce 50 moment même, à la mémoire.

Pluton – c'était le nom du chat – était mon préféré, mon camarade. Moi seul, je le nourrissais, et il me suivait dans la maison partout où j'allais. Ce n'était même pas sans peine que je parvenais à l'empêcher de me suivre dans les rues.

55 Notre amitié subsista ainsi plusieurs années, durant lesquelles l'ensemble de mon caractère et de mon tempérament, – par l'opération du démon Intempérance, je rougis de le confesser, – subit une altération, radicalement mauvaise. Je devins de jour en jour plus morne, plus irritable, plus 60 insoucieux des sentiments des autres. Je me permis d'employer un langage brutal à l'égard de ma femme. À la longue, je lui infligeai même des violences personnelles. Mes pauvres favoris, naturellement, durent ressentir le changement de mon caractère. Non-seulement je les négligeais, mais je les mal-65 traitais. Quant à Pluton, toutefois, j'avais encore une considération suffisante qui m'empêchait de le malmener, tandis que je n'éprouvais aucun scrupule à maltraiter les lapins, le singe et même le chien, quand, par hasard ou par amitié, ils se jetaient dans mon chemin. Mais mon mal m'envahissait de plus en 70 plus, – car quel mal est comparable à l'alcool ? – et à la longue Pluton lui-même, qui maintenant se faisait vieux et qui naturellement devenait quelque peu maussade, – Pluton lui-même commença à connaître les effets de mon méchant caractère.

Une nuit, comme je rentrais au logis très-ivre, au sortir 75 d'un de mes repaires habituels des faubourgs, je m'imaginai que le chat évitait ma présence. Je le saisis ; – mais lui, effrayé de ma violence, il me fit à la main une légère blessure avec les dents. Une fureur de démon s'empara soudainement de moi. Je ne me connus plus, mon âme originelle sembla tout 80 d'un coup s'envoler de mon corps, et une méchanceté hyperdiabolique, saturée de gin, pénétra chaque fibre de mon être. Je tirai de la poche de mon gilet un canif, je l'ouvris ; je saisis la pauvre bête par la gorge, et, délibérément, je fis sauter un de ses yeux de son orbite ! Je rougis, je brûle, je frissonne 85 en écrivant cette damnable atrocité !

Quand la raison me revint avec le matin, – quand j'eus cuvé les vapeurs de ma débauche nocturne, – j'éprouvai un sentiment moitié d'horreur, moitié de remords, pour le crime dont je m'étais rendu coupable ; mais c'était tout au
90 plus un faible et équivoque sentiment, et l'âme n'en subit pas les atteintes. Je me replongeai dans les excès, et bientôt je noyai dans le vin tout le souvenir de mon action.

Cependant, le chat guérit lentement. L'orbite de l'œil perdu présentait, il est vrai, un aspect effrayant, mais il n'en
95 parut plus souffrir désormais. Il allait et venait dans la maison selon son habitude ; mais, comme je devais m'y attendre, il fuyait avec une extrême terreur à mon approche. Il me restait assez de mon ancien cœur pour me sentir d'abord affligé de cette évidente antipathie de la part d'une
100 créature qui jadis m'avait tant aimé. Mais ce sentiment fit bientôt place à l'irritation. Et alors apparut, comme pour ma chute finale et irrévocable, l'esprit de PERVERSITÉ. De cet esprit la philosophie ne tient aucun compte. Cependant, aussi sûr que mon âme existe, je crois que la perversité est
105 une des primitives impulsions du cœur humain, – une des indivisibles premières facultés, ou sentiments, qui donnent la direction au caractère de l'homme. Qui ne s'est pas surpris cent fois commettant une action sotte ou vile, par la seule raison qu'il savait devoir *ne pas* la commettre ? N'avons-nous
110 pas une perpétuelle inclination, malgré l'excellence de notre jugement, à violer ce qui est *la Loi*, simplement parce que nous comprenons que c'est *la Loi* ? Cet esprit de perversité, dis-je, vint causer ma déroute finale. C'est ce désir ardent, insondable de l'âme *de se torturer elle-même*, – de violenter
115 sa propre nature, – de faire le mal pour l'amour du mal seul, – qui me poussait à continuer, et finalement à consommer le supplice que j'avais infligé à la bête inoffensive. Un matin, de sang-froid, je glissai un nœud coulant autour de son cou, et je le pendis à la branche d'un arbre ; – je le

120 pendis avec des larmes plein mes yeux, – avec le plus amer remords dans le cœur; – je le pendis, *parce que* je savais qu'il m'avait aimé, et *parce que* je sentais qu'il ne m'avait donné aucun sujet de colère; – je le pendis, *parce que* je savais qu'en faisant ainsi je commettais un péché, – un péché mortel qui 125 compromettait mon âme immortelle, au point de la placer, – si une telle chose était possible, – même au-delà de la miséricorde infinie du Dieu Très-Miséricordieux et Très-Terrible.

Dans la nuit qui suivit le jour où fut commise cette action cruelle, je fus tiré de mon sommeil par le cri « Au 130 feu! » Les rideaux de mon lit étaient en flammes. Toute la maison flambait. Ce ne fut pas sans une grande difficulté que nous échappâmes à l'incendie, – ma femme, un domestique, et moi. La destruction fut complète. Toute ma fortune fut engloutie, et je m'abandonnai dès lors au désespoir.

135 Je ne cherche pas à établir une liaison de cause à effet entre l'atrocité et le désastre, je suis au-dessus de cette faiblesse. Mais je rends compte d'une chaîne de faits, – et je ne veux pas négliger un seul anneau. Le jour qui suivit l'incendie, je visitai les ruines. Les murailles étaient tombées, 140 une seule exceptée; et cette seule exception se trouva être une cloison intérieure, peu épaisse, située à peu près au milieu de la maison, et contre laquelle s'appuyait le chevet de mon lit. La maçonnerie avait ici, en grande partie, résisté à l'action du feu, – fait que j'attribuai à ce qu'elle avait été 145 récemment remise à neuf. Autour de ce mur, une foule épaisse était rassemblée, et plusieurs personnes paraissaient en examiner une portion particulière avec une minutieuse et vive attention. Les mots: Étrange! singulier! et autres expressions analogues, excitèrent ma curiosité. Je m'approchai, 150 et je vis, semblable à un bas-relief sculpté sur la surface blanche, la figure d'un gigantesque *chat*. L'image était rendue avec une exactitude vraiment merveilleuse. Il y avait une corde autour du cou de l'animal.

Tout d'abord, en voyant cette apparition, – car je ne
155 pouvais guère considérer cela que comme une apparition, –
mon étonnement et ma terreur furent extrêmes. Mais enfin,
la réflexion vint à mon aide. Le chat, je m'en souvenais,
avait été pendu dans un jardin adjacent à la maison. Aux cris
d'alarme, ce jardin avait été immédiatement envahi par la
160 foule, et l'animal avait dû être détaché de l'arbre par quelqu'un, et jeté dans ma chambre à travers une fenêtre ouverte.
Cela avait été fait, sans doute, dans le but de m'arracher au
sommeil. La chute des autres murailles avait comprimé la
victime de ma cruauté dans la substance du plâtre fraîchement
165 étendu ; la chaux de ce mur, combinée avec les flammes et
l'ammoniaque du cadavre, avait ainsi opéré l'image telle que
je la voyais.

Quoique je satisfisse ainsi lestement ma raison, sinon tout
à fait ma conscience, relativement au fait surprenant que je
170 viens de raconter, il n'en fit pas moins sur mon imagination
une impression profonde. Pendant plusieurs mois je ne pus
me débarrasser du fantôme du chat ; et durant cette période
un demi-sentiment revint dans mon âme, qui paraissait être,
mais qui n'était pas le remords. J'allai jusqu'à déplorer la
175 perte de l'animal, et à chercher autour de moi, dans les
bouges méprisables que maintenant je fréquentais habituellement, un autre favori de la même espèce et d'une figure à peu près semblable pour le suppléer.

Une nuit, comme j'étais assis à moitié stupéfié, dans un
180 repaire plus qu'infâme, mon attention fut soudainement
attirée vers un objet noir, reposant sur le haut d'un des
immenses tonneaux de gin ou de rhum qui composaient le
principal ameublement de la salle. Depuis quelques minutes,
je regardais fixement le haut de ce tonneau, et ce qui me sur-
185 prenait maintenant, c'était de n'avoir pas encore aperçu
l'objet situé dessus. Je m'en approchai, et je le touchai avec
ma main. C'était un chat noir, – un très-gros chat, – au

moins aussi gros que Pluton, lui ressemblant absolument, excepté en un point. Pluton n'avait pas un poil blanc sur tout 190 le corps; celui-ci portait une éclaboussure large et blanche, mais d'une forme indécise, qui couvrait presque toute la région de la poitrine.

À peine l'eus-je touché, qu'il se leva subitement, ronronna fortement, se frotta contre ma main, et parut enchanté de 195 mon attention. C'était donc là la vraie créature dont j'étais en quête. J'offris tout de suite au propriétaire de le lui acheter; mais cet homme ne le revendiqua pas – ne le connaissait pas, – ne l'avait jamais vu auparavant.

Je continuai mes caresses, et, quand je me préparai à 200 retourner chez moi, l'animal se montra disposé à m'accompagner. Je lui permis de le faire; me baissant de temps à autre, et le caressant en marchant. Quand il fut arrivé à la maison, il s'y trouva comme chez lui, et devint tout de suite le grand ami de ma femme.

205 Pour ma part, je sentis bientôt s'élever en moi une antipathie contre lui. C'était justement le contraire de ce que j'avais espéré; mais – je ne sais ni comment ni pourquoi cela eut lieu – son évidente tendresse pour moi me dégoûtait presque et me fatiguait. Par de lents degrés, ces sentiments 210 de dégoût et d'ennui s'élevèrent jusqu'à l'amertume de la haine. J'évitais la créature; une certaine sensation de honte et le souvenir de mon premier acte de cruauté m'empêchèrent de la maltraiter. Pendant quelques semaines, je m'abstins de battre le chat ou de le malmener violemment; 215 mais graduellement, – insensiblement, – j'en vins à le considérer avec une indicible horreur, et à fuir silencieusement son odieuse présence, comme le souffle d'une peste.

Ce qui ajouta sans doute à ma haine contre l'animal, fut la découverte que je fis le matin, après l'avoir amené à la 220 maison, que, comme Pluton, lui aussi avait été privé d'un de ses yeux. Cette circonstance, toutefois, ne fit que le rendre

plus cher à ma femme, qui, comme je l'ai déjà dit, possédait à un haut degré cette tendresse de sentiment qui jadis avait été mon trait caractéristique et la source fréquente de mes
225 plaisirs les plus simples et les plus purs.

Néanmoins, l'affection du chat pour moi paraissait s'accroître en raison de mon aversion contre lui. Il suivait mes pas avec une opiniâtreté qu'il serait difficile de faire comprendre au lecteur. Chaque fois que je m'asseyais, il se blot-
230 tissait sous ma chaise, ou il sautait sur mes genoux, me couvrant de ses affreuses caresses. Si je me levais pour marcher, il se fourrait dans mes jambes, et me jetait presque par terre, ou bien, enfonçant ses griffes longues et aiguës dans mes habits, grimpait de cette manière jusqu'à ma poitrine. Dans
235 ces moments-là, quoique je désirasse le tuer d'un bon coup, j'en étais empêché, en partie par le souvenir de mon premier crime, mais principalement – je dois le confesser tout de suite – par une véritable *terreur* de la bête.

Cette terreur n'était pas positivement la terreur d'un mal
240 physique, – et cependant je serais fort en peine de la définir autrement. Je suis presque honteux d'avouer, – oui, même dans cette cellule de malfaiteur, je suis presque honteux d'avouer que la terreur et l'horreur que m'inspirait l'animal avaient été accrues par une des plus parfaites chimères qu'il
245 fût possible de concevoir. Ma femme avait appelé mon attention plus d'une fois sur le caractère de la tache blanche dont j'ai parlé, et qui constituait l'unique différence visible entre l'étrange bête et celle que j'avais tuée. Le lecteur se rappellera sans doute que cette marque, quoique grande,
250 était primitivement indéfinie dans sa forme ; mais, lentement, par degrés, – par des degrés imperceptibles, et que ma raison s'efforça longtemps de considérer comme imaginaires, – elle avait à la longue pris une rigoureuse netteté de contours. Elle était maintenant l'image d'un objet que je frémis de
255 nommer, – et c'était là surtout ce qui me faisait prendre le

monstre en horreur et en dégoût, et m'aurait poussé à m'en délivrer, *si je l'avais osé; – c'était* maintenant, dis-je, l'image d'une hideuse, – d'une sinistre chose, – l'image du GIBET! – oh! lugubre et terrible machine! machine d'Horreur et de
260 Crime, – d'Agonie et de Mort!

Et, maintenant, j'étais en vérité misérable au-delà de la misère possible de l'Humanité. Une bête brute, – dont j'avais avec mépris détruit le frère, – *une bête brute* engendrée pour moi, – pour moi, l'homme façonné à l'image du Dieu Très-
265 Haut, – une si grande et si intolérable infortune! Hélas! je ne connaissais plus la béatitude du repos, ni le jour ni la nuit! Durant le jour la créature ne me laissait pas un seul moment; et, pendant la nuit, à chaque instant, quand je sortais de mes rêves pleins d'une intraduisible angoisse, c'était pour sentir la
270 tiède haleine de la *chose* sur mon visage, et son immense poids, – incarnation d'un cauchemar que j'étais impuissant à secouer, – éternellement posé sur mon *cœur*!

Sous la pression de pareils tourments, le peu de bon qui restait en moi succomba. De mauvaises pensées devinrent
275 mes seules intimes, – les plus sombres et les plus mauvaises de toutes les pensées. La tristesse de mon humeur habituelle s'accrut jusqu'à la haine de toutes choses et de toute humanité; cependant, ma femme, qui ne se plaignait jamais, hélas! était mon souffre-douleur ordinaire, la plus patiente
280 victime des soudaines, fréquentes et indomptables éruptions d'une furie à laquelle je m'abandonnai dès lors aveuglément.

Un jour, elle m'accompagna pour quelque besogne domestique dans la cave du vieux bâtiment où notre pauvreté nous contraignait d'habiter. Le chat me suivit sur les
285 marches roides de l'escalier, et, m'ayant presque culbuté la tête la première, m'exaspéra jusqu'à la folie. Levant une hache, et oubliant dans ma rage la peur puérile qui jusque-là avait retenu ma main, j'adressai à l'animal un coup qui eût été mortel, s'il avait porté comme je voulais; mais ce coup

fut arrêté par la main de ma femme. Cette intervention m'aiguillonna jusqu'à une rage plus que démoniaque ; je débarrassai mon bras de son étreinte et lui enfonçai ma hache dans le crâne. Elle tomba morte sur la place, sans pousser un gémissement.

Cet horrible meurtre accompli, je me mis immédiatement et très-délibérément en mesure de cacher le corps. Je compris que je ne pouvais pas le faire disparaître de la maison, soit de jour, soit de nuit, sans courir le danger d'être observé par les voisins. Plusieurs projets traversèrent mon esprit. Un moment j'eus l'idée de couper le cadavre par petits morceaux, et de les détruire par le feu. Puis je résolus de creuser une fosse dans le sol de la cave. Puis je pensai à le jeter dans le puits de la cour, – puis à l'emballer dans une caisse comme marchandise, avec les formes usitées, et à charger un commissionnaire de le porter hors de la maison. Finalement, je m'arrêtai à un expédient que je considérai comme le meilleur de tous. Je me déterminai à le murer dans la cave, – comme les moines du Moyen Âge muraient, dit-on, leurs victimes.

La cave était fort bien disposée pour un pareil dessein. Les murs étaient construits négligemment, et avaient été récemment enduits dans toute leur étendue d'un gros plâtre que l'humidité de l'atmosphère avait empêché de durcir. De plus, dans l'un des murs, il y avait une saillie causée par une fausse cheminée, ou espèce d'âtre, qui avait été comblée et maçonnée dans le même genre que le reste de la cave. Je ne doutais pas qu'il ne me fût facile de déplacer les briques à cet endroit, d'y introduire le corps, et de murer le tout de la même manière, de sorte qu'aucun œil n'y pût rien découvrir de suspect.

Et je ne fus pas déçu dans mon calcul. À l'aide d'une pince, je délogeai très-aisément les briques, et, ayant soigneusement appliqué le corps contre le mur intérieur, je le

soutins dans cette position jusqu'à ce que j'eusse rétabli,
325 sans trop de peine, toute la maçonnerie dans son état primitif. M'étant procuré du mortier, du sable et du poil avec toutes les précautions imaginables, je préparai un crépi qui ne pouvait pas être distingué de l'ancien, et j'en recouvris très-soigneusement le nouveau briquetage. Quand j'eus fini,
330 je vis avec satisfaction que tout était pour le mieux. Le mur ne présentait pas la plus légère trace de dérangement. J'enlevai tous les gravats avec le plus grand soin, j'épluchai pour ainsi dire le sol. Je regardai triomphalement autour de moi, et me dis à moi-même : Ici, au moins, ma peine n'aura
335 pas été perdue !

Mon premier mouvement fut de chercher la bête qui avait été la cause d'un si grand malheur ; car à la fin, j'avais résolu fermement de la mettre à mort. Si j'avais pu la rencontrer dans ce moment, sa destinée était claire ; mais il
340 paraît que l'artificieux animal avait été alarmé par la violence de ma récente colère, et qu'il prenait soin de ne pas se montrer dans l'état actuel de mon humeur. Il est impossible de décrire ou d'imaginer la profonde, la béate sensation de soulagement que l'absence de la détestable créature déter-
345 mina dans mon cœur. Elle ne se présenta pas de toute la nuit, – et ainsi ce fut la première bonne nuit, – depuis son introduction dans la maison, – que je dormis solidement et tranquillement ; oui, je *dormis* avec le poids de ce meurtre sur l'âme !

350 Le second et le troisième jour s'écoulèrent, et cependant mon bourreau ne vint pas. Une fois encore je respirai comme un homme libre. Le monstre, dans sa terreur, avait vidé les lieux pour toujours ! Je ne le verrais donc plus jamais ! Mon bonheur était suprême ! La criminalité de ma
355 ténébreuse action ne m'inquiétait que fort peu. On avait bien fait une espèce d'enquête, mais elle s'était satisfaite à bon marché. Une perquisition avait même été ordonnée,

– mais naturellement on ne pouvait rien découvrir. Je regardais ma félicité à venir comme assurée.

360 Le quatrième jour depuis l'assassinat, une troupe d'agents de police vint très-inopinément à la maison, et procéda de nouveau à une rigoureuse investigation des lieux. Confiant, néanmoins, dans l'impénétrabilité de la cachette, je n'éprouvai aucun embarras. Les officiers me firent les accompagner 365 dans leur recherche. Ils ne laissèrent pas un coin, pas un angle inexploré. À la fin, pour la troisième ou quatrième fois, ils descendirent dans la cave. Pas un muscle en moi ne tressaillit. Mon cœur battait paisiblement, comme celui d'un homme qui dort dans l'innocence. J'arpentais la cave d'un bout à 370 l'autre ; je croisais mes bras sur ma poitrine, et me promenais çà et là avec aisance. La police était pleinement satisfaite et se préparait à décamper. La jubilation de mon cœur était trop forte pour être réprimée. Je brûlais de dire au moins un mot, rien qu'un mot, en manière de triomphe, et de rendre deux 375 fois plus convaincue leur conviction de mon innocence.

— Gentlemen, – dis-je à la fin, – comme leur troupe remontait l'escalier, – je suis enchanté d'avoir apaisé vos soupçons. Je vous souhaite à tous une bonne santé et un peu plus de courtoisie. Soit dit en passant, gentlemen, voilà – 380 voilà une maison singulièrement bien bâtie (dans mon désir enragé de dire quelque chose d'un air délibéré, je savais à peine ce que je débitais), – je puis dire que c'est une maison *admirablement* bien construite. Ces murs, – est-ce que vous partez, gentlemen ? – ces murs sont solidement maçonnés.

385 Et ici, par une bravade frénétique, je frappai fortement avec une canne que j'avais à la main juste sur la partie du briquetage derrière laquelle se tenait le cadavre de l'épouse de mon cœur.

Ah ! qu'au moins Dieu me protège et me délivre des griffes 390 de l'Archidémon ! – À peine l'écho de mes coups était-il tombé

dans le silence, qu'une voix me répondit du fond de la tombe! – une plainte, d'abord voilée et entrecoupée, comme le sanglotement d'un enfant, puis, bientôt, s'enflant en un cri prolongé, sonore et continu, tout à fait anormal et antihumain, – un
395 hurlement, – un glapissement, moitié horreur et moitié triomphe, – comme il en peut monter seulement de l'Enfer, – affreuse harmonie jaillissant à la fois de la gorge des damnés dans leurs tortures, et des démons exultant dans la damnation.

Vous dire mes pensées, ce serait folie. Je me sentis défaillir,
400 et je chancelai contre le mur opposé. Pendant un moment, les officiers placés sur les marches restèrent immobiles, stupéfiés par la terreur. Un instant après, une douzaine de bras robustes s'acharnaient sur le mur. Il tomba tout d'une pièce. Le corps, déjà grandement délabré et souillé de sang
405 grumelé, se tenait droit devant les yeux des spectateurs. Sur sa tête, avec la gueule rouge dilatée et l'œil unique flamboyant, était perchée la hideuse bête dont l'astuce m'avait induit à l'assassinat, et dont la voix révélatrice m'avait livré au bourreau. J'avais muré le monstre dans la tombe!

Edgar Allan Poe, « Le chat noir », dans *Nouvelles histoires extraordinaires*, traduit de l'américain par Charles Baudelaire, Paris, Flammarion, 1993, p. 13 à 28.

EDGAR ALLAN POE – (1809-1849)

L'« écrivain des nerfs », selon le mot de Baudelaire, connaîtra une existence qui, malgré ses succès, sera marquée par la misère et l'inquiétude. Poe se fait d'abord poète puis journaliste, devenant alors un des plus féroces critiques littéraires de son époque. En 1838, il publie *Les aventures d'Arthur Gordon Pym*, un roman d'aventures qui influencera Joseph Conrad et Jules Verne. Ses *Histoires extraordinaires*, qui feront sa renommée, voient le jour l'année suivante. Traduites par Baudelaire, ces nouvelles feront sensation en France. En 1845, le poème *Le corbeau* et son poignant leitmotiv – « Nevermore ! » – valent à Poe un succès sans précédent. Sa jeune épouse Virginia meurt cependant peu de temps après et l'écrivain, malade et affligé, noie ses angoisses dans l'alcool. En octobre 1849, on perd sa trace pendant plusieurs jours ; on le retrouve inconscient dans une rue de Baltimore. Il meurt d'une congestion cérébrale une semaine plus tard. Poe est passé à la postérité grâce à son œuvre colossale : il a été traduit et admiré par les plus grands (Baudelaire, Mallarmé, Borges, Cortázar), considéré comme l'inventeur du récit policier et comme un pionnier de la science-fiction, mis en musique par Debussy, en plus d'apparaître sur la pochette de l'album *Sgt. Pepper's* des Beatles. Il a de plus écrit des contes d'horreur, qui figurent encore aujourd'hui parmi les plus terrifiants du genre.

Edgar Allan Poe est aussi l'auteur de :
– *Histoires extraordinaires* (recueil de nouvelles, 1839)
– *Le corbeau et autres poèmes* (recueil de poésie, 1845)
– *Les aventures d'Arthur Gordon Pym* (roman, 1858)

Le visiteur

Anton Tchekhov

Première parution : 1885.
Œuvre traduite du russe.
Nouvelle réaliste.

Zelterski, le fondé de pouvoir, tombait de sommeil. La nature avait sombré dans l'obscurité, la brise s'était calmée, le chœur des oiseaux avait fait silence et les troupeaux s'étaient accroupis. Cela faisait longtemps que la 5 femme de Zelterski était allée se coucher, la domesticité dormait aussi, toute la volaille de même, seul Zelterski ne pouvait pas se retirer, même si ses paupières pesaient trois tonnes. C'est qu'il recevait son voisin de campagne, le colonel en retraite Pérégarine. Il était arrivé dans l'après-midi 10 et, depuis qu'il s'était assis sur le divan, pas une fois il ne s'était levé, à croire qu'il y était collé. Et là, d'une voix enrouée et nasonnante, il avait raconté comment en 1842, à Krémentchoug, il avait été mordu par un chien enragé. Et, son récit terminé, il avait recommencé. Zelterski était au 15 désespoir. Que n'avait-il fait pour se débarrasser du visiteur ! Il avait consulté sa montre toutes les trois minutes, dit qu'il avait mal à la tête, il était sorti de la pièce à plusieurs reprises, mais rien n'y avait fait. L'hôte n'avait pas compris et avait poursuivi l'histoire du chien enragé.

« Cette vieille ganache va rester jusqu'au matin ! enrageait Zelterski. Quel abruti ! Bon, eh bien, puisqu'il ne comprend pas les allusions ordinaires, il va falloir mettre en œuvre des procédés plus rudes. »

— Écoutez voir, dit-il à haute voix, savez-vous pourquoi j'aime la vie à la campagne ?

— Pourquoi donc ?

— Parce que l'on peut y mener une existence régulière. En ville, il est difficile d'observer un régime déterminé, ici, c'est le contraire. Nous nous levons à neuf heures, nous déjeunons à trois heures, nous dînons à dix heures et nous nous couchons à minuit. Je suis toujours au lit à minuit. Dieu me garde de me coucher plus tard, le lendemain, je ne coupe pas à la migraine.

— Vous m'en direz tant… À chacun ses habitudes, c'est vrai. J'ai connu quelqu'un, un certain capitaine Kliouchkine, que j'avais rencontré à Serpoukhovo… Eh bien, ce Kliouchkine…

Et le colonel, bégayant, faisant des bruits de ventouse, agitant ses gros doigts, de raconter l'histoire de Kliouchkine. Minuit sonna, les aiguilles glissèrent vers la demie, il parlait toujours, Zelterski suait à grosses gouttes.

« Non, il ne comprend pas, c'est un idiot, rageait-il. Croit-il vraiment que sa visite me fait plaisir ? Comment m'en débarrasser ? »

— Vous savez, le coupa-t-il, je ne sais que faire, j'ai affreusement mal à la gorge. Le diable m'a poussé à passer ce matin chez un ami dont l'enfant a la diphtérie. Je crois que je l'ai attrapée. Oui, je sens que je l'ai attrapée. J'ai la diphtérie.

— Ce sont des choses qui arrivent, nasilla imperturbablement Pérégarine.

— C'est une maladie dangereuse. Non seulement je suis malade, mais je pourrais contaminer les autres. C'est une maladie terriblement contagieuse. Je ne voudrais pas vous la passer, mon cher.

— À moi ? Ha-ha ! J'ai vécu dans des hôpitaux pour typhiques sans rien attraper et, vous, vous me passeriez la diphtérie ? Ha-ha ! Aucune maladie n'a de prise sur un vieux machin comme moi. C'est vivace, les vieillards ! Il y avait dans ma brigade un vieux petit vieux, le lieutenant-colonel Tresbien… d'origine française... Et alors, ce Tresbien…

Là, Pérégarine se mit à parler de la longévité de Tresbien. La demie sonna.

— Pardon si je vous coupe la parole, mon cher, gémit Zelterski, à quelle heure vous couchez-vous ?

— Parfois à deux heures, parfois à trois, il arrive même que ce ne soit pas du tout si j'ai passé la soirée en bonne compagnie ou si mes rhumatismes me jouent des tours. Aujourd'hui, par exemple, je me mettrai au lit vers les quatre heures parce que j'ai dormi jusqu'au déjeuner. Je suis capable de ne pas dormir du tout. À la guerre, il nous arrivait de ne pas nous coucher des semaines entières. Oui, c'est arrivé. Nous étions sous Akhaltsykhi.

— Je vous demande pardon, mais, moi, je me couche régulièrement à minuit. Je me lève à neuf heures, ce qui fait que je me couche plus tôt.

— Bien sûr. Se lever de bonne heure vaut d'ailleurs mieux pour la santé. Alors voilà... Donc, nous étions sous Akhaltsykhi…

— Qu'est-ce qui m'arrive, nom de Dieu ! Je frissonne, j'ai la fièvre. C'est toujours comme ça avant mes crises. Je dois vous dire que je suis sujet à d'étranges crises de nerfs. Passé minuit... ou quelque chose comme ça… le jour, ça ne m'arrive jamais… soudain il me vient du bruit dans la tête... jjj... je perds la raison, je bondis et, alors, je jette sur mon entourage tout ce qui me tombe sous la main. Si c'est un couteau, j'envoie des coups de couteau, si c'est une chaise, j'abats la chaise. Là, je frissonne, je vais sûrement avoir une crise. Ça commence toujours par des frissons.

— Dites donc, vous devriez vous soigner !

— Je l'ai fait. Sans résultat. Un peu avant la crise, je me borne à prévenir mes connaissances et ma famille qu'ils doivent s'éloigner, mais les soins, voici longtemps que je les ai abandonnés.

— Pfff!... Ce qu'il peut y avoir comme maladies en ce bas monde ! La peste, le choléra, toutes sortes de crises.

Le colonel hocha la tête et se perdit dans ses pensées. Un silence tomba.

« Je vais lui lire une de mes œuvres, s'avisa Zelterski, j'ai un roman dans un coin, j'étais encore au lycée lorsque je l'ai écrit… Avec un peu de chance, il pourra m'être utile. »

— Au fait, interrompit-il les réflexions de Pérégarine, voulez-vous que je vous lise une de mes œuvres ? Je l'ai griffonnée à un moment de loisir. C'est un roman en cinq parties avec un prologue et un épilogue.

Sans attendre de réponse, en moins de deux, Zelterski sortit de son bureau un vieux manuscrit jauni sur lequel on lisait en grosses lettres : *Lame de fond - Roman en cinq parties.*

« Maintenant, c'est sûr, il va s'en aller, espérait Zelterski en feuilletant son péché de jeunesse. Je vais lui faire la lecture jusqu'à ce qu'il hurle. »

— Donc, écoutez, cher ami.

— Avec plaisir. J'aime beaucoup ça.

Et Zelterski commença. Le colonel croisa les jambes, s'assit bien à l'aise, la mine grave, apparemment disposé à écouter longuement et consciencieusement. Le lecteur commença par une description de la nature. Lorsque la pendule sonna une heure, la description de la nature céda la place à celle du château où demeurait le héros du roman, le comte Valentin Blenski.

— Ah, vivre dans un château comme ça ! soupira Pérégarine. Et comme c'est bien écrit ! On l'écouterait pendant des siècles.

« Attends un peu, songea Zelterski, tu finiras par hurler ! »

À une heure et demie, le château fit place à la belle apparence du héros… À deux heures juste, le lecteur disait 125 d'une voix faible, accablée :

« Vous me demandez ce que je veux ? Je veux que là-bas, au loin, sous la voûte céleste du Midi, votre petite main frémisse languissamment dans la mienne. Là-bas, rien que là-bas, mon cœur battra sous la voûte de mon édifice spiri- 130 tuel... De l'amour, de l'amour !... »

— Non, mon cher ami, je suis à bout de forces... Je suis épuisé.

— Eh bien, arrêtez. Vous finirez demain. En attendant, bavardons. Je ne vous ai pas encore raconté ce qui est arrivé 135 sous Akhaltsykhi.

Harassé, Zelterski se laissa aller contre le dossier du divan et écouta les yeux clos.

« J'ai tout essayé, se disait-il, pas une balle n'a percé le cuir de ce mastodonte. Et maintenant, il va rester jusqu'à 140 quatre heures. Seigneur, je donnerais bien cent roubles pour me coucher, là, tout de suite, et pioncer... Tiens ! Et si je lui demandais de me prêter de l'argent ? C'est un merveilleux moyen. »

Et il interrompit le colonel :

145 — Je vous coupe de nouveau la parole. J'ai un petit service à vous demander. Ce qu'il y a, c'est que ces temps-ci, depuis que je suis à la campagne, j'ai dépensé énormément d'argent. Je n'ai plus un kopeck. Or, j'attends une rentrée pour la fin d'août.

150 — N'empêche, je m'attarde, souffla Pérégarine en cherchant sa casquette des yeux. Il est plus de deux heures... Vous disiez ?

— Je cherche quelqu'un à qui emprunter dans les deux ou trois cents roubles… Vous ne connaîtriez personne ?

155 — Où voulez-vous que je les prenne?... Mais il est temps que vous alliez au dodo… Disons-nous au revoir… Mes compliments à votre épouse.

Le colonel prit sa casquette et fit un pas vers la porte.

— Où allez-vous? fit Zelterski triomphant. Moi qui 160 avais l'intention de vous demander… Connaissant votre bonté, j'espérais…

— À demain! Maintenant, en avant! allez retrouver votre épouse. Elle doit s'impatienter, je parie… Hé, hé, hé! Adieu, mon ange, au lit!

165 Pérégarine serra la main de Zelterski en hâte, mit sa casquette et sortit. Le maître de maison jubila.

Anton Tchekhov, « Le visiteur », dans *Le malheur des autres*, traduit du russe par Lily Denis, Paris, Gallimard, 2004, p. 117 à 122.

☙ Anton Tchekhov – (1860-1904)

Alors qu'il est encore étudiant en médecine, le jeune Tchekhov gagne sa vie en signant des dessins et des contes humoristiques pour les journaux. L'œil incisif du caricaturiste, sa cruauté et sa drôlerie caractériseront l'œuvre de ce grand nouvelliste et dramaturge russe. « Personne n'a compris avec autant de clairvoyance et de finesse le tragique des petits côtés de l'existence », a déclaré son compatriote, le romancier Max Gorki. Cette exceptionnelle lucidité, Tchekhov l'a déployée dans une centaine de nouvelles, deux romans et de remarquables pièces de théâtre, dont *La mouette* (1896), *Les trois sœurs* (1901) et *La ceriseraie* (1904).

Anton Tchekhov est aussi l'auteur de:
- *La steppe* (roman, 1888)
- *La dame au petit chien* (recueil de nouvelles, 1899)
- *Oncle Vania* (pièce de théâtre, 1900)

La nuit

Cauchemar

Guy de Maupassant

Première parution : 1887.
Œuvre francophone de France.
Nouvelle fantastique.

J'aime la nuit avec passion. Je l'aime comme on aime son pays ou sa maîtresse, d'un amour instinctif, profond, invincible. Je l'aime avec tous mes sens, avec mes yeux qui la voient, avec mon odorat qui la respire, avec mes oreilles 5 qui en écoutent le silence, avec toute ma chair que les ténèbres caressent. Les alouettes chantent dans le soleil, dans l'air bleu, dans l'air chaud, dans l'air léger des matinées claires. Le hibou fuit dans la nuit, tache noire qui passe à travers l'espace noir, et, réjoui, grisé par la noire immensité, il pousse 10 son cri vibrant et sinistre.

Le jour me fatigue et m'ennuie. Il est brutal et bruyant. Je me lève avec peine, je m'habille avec lassitude, je sors avec regret, et chaque pas, chaque mouvement, chaque geste, chaque parole, chaque pensée me fatigue comme si je sou- 15 levais un écrasant fardeau.

Mais quand le soleil baisse, une joie confuse, une joie de tout mon corps m'envahit. Je m'éveille, je m'anime. À mesure que l'ombre grandit, je me sens tout autre, plus jeune, plus fort, plus alerte, plus heureux. Je la regarde s'épaissir, la grande ombre douce tombée du ciel : elle noie la ville, comme une onde insaisissable et impénétrable, elle cache, efface, détruit les couleurs, les formes, étreint les maisons, les êtres, les monuments de son imperceptible toucher.

Alors j'ai envie de crier de plaisir comme les chouettes, de courir sur les toits comme les chats ; et un impétueux, un invincible désir d'aimer s'allume dans mes veines.

Je vais, je marche, tantôt dans les faubourgs assombris, tantôt dans les bois voisins de Paris, où j'entends rôder mes sœurs les bêtes et mes frères les braconniers.

Ce qu'on aime avec violence finit toujours par vous tuer. Mais comment expliquer ce qui m'arrive ? Comment même faire comprendre que je puisse le raconter ? Je ne sais pas, je ne sais plus, je sais seulement que cela est. – Voilà.

Donc hier – était-ce hier ? – oui, sans doute, à moins que ce ne soit auparavant, un autre jour, un autre mois, une autre année, – je ne sais pas. Ce doit être hier pourtant, puisque le jour ne s'est plus levé, puisque le soleil n'a pas reparu. Mais depuis quand la nuit dure-t-elle ? Depuis quand ?... Qui le dira ? qui le saura jamais ?

Donc hier, je sortis comme je fais tous les soirs, après mon dîner. Il faisait très beau, très doux, très chaud. En descendant vers les boulevards, je regardais au-dessus de ma tête le fleuve noir et plein d'étoiles découpé dans le ciel par les toits de la rue qui tournait et faisait onduler comme une vraie rivière ce ruisseau roulant des astres.

Tout était clair dans l'air léger, depuis les planètes jusqu'aux becs de gaz. Tant de feux brillaient là-haut et dans la ville que les ténèbres en semblaient lumineuses. Les nuits luisantes sont plus joyeuses que les grands jours de soleil.

Sur le boulevard, les cafés flamboyaient ; on riait, on passait, on buvait. J'entrai au théâtre, quelques instants ; dans quel théâtre ? je ne sais plus. Il y faisait si clair que cela m'attrista et je ressortis le cœur un peu assombri par ce choc de lumière brutale sur les ors du balcon, par le scintillement factice du lustre énorme de cristal, par la barrière du feu de la rampe, par la mélancolie de cette clarté fausse et crue. Je gagnai les Champs-Élysées où les cafés-concerts semblaient des foyers d'incendie dans les feuillages. Les marronniers frottés de lumière jaune avaient l'air peints, un air d'arbres phosphorescents. Et les globes électriques, pareils à des lunes éclatantes et pâles, à des œufs de lune tombés du ciel, à des perles monstrueuses, vivantes, faisaient pâlir sous leur clarté nacrée, mystérieuse et royale les filets de gaz, de vilain gaz sale, et les guirlandes de verres de couleur.

Je m'arrêtai sous l'Arc de Triomphe pour regarder l'avenue, la longue et admirable avenue étoilée, allant vers Paris entre deux lignes de feux, et les astres ! Les astres là-haut, les astres inconnus jetés au hasard dans l'immensité où ils dessinent ces figures bizarres, qui font tant rêver, qui font tant songer.

J'entrai dans le bois de Boulogne et j'y restai longtemps, longtemps. Un frisson singulier m'avait saisi, une émotion imprévue et puissante, une exaltation de ma pensée qui touchait à la folie.

Je marchai longtemps, longtemps. Puis je revins.

Quelle heure était-il quand je repassai sous l'Arc de Triomphe ? Je ne sais pas. La ville s'endormait, et des nuages, de gros nuages noirs s'étendaient lentement sur le ciel.

Pour la première fois je sentis qu'il allait arriver quelque chose d'étrange, de nouveau. Il me sembla qu'il faisait froid, que l'air s'épaississait, que la nuit, que ma nuit bien-aimée, devenait lourde sur mon cœur. L'avenue était déserte, maintenant. Seuls, deux sergents de ville se promenaient auprès de la station des fiacres, et, sur la chaussée à peine éclairée par les becs de gaz qui paraissaient mourants, une file de voitures de légumes allait aux Halles. Elles allaient lentement, chargées de carottes, de navets et de choux. Les conducteurs dormaient, invisibles, les chevaux marchaient d'un pas égal, suivant la voiture précédente, sans bruit, sur le pavé de bois. Devant chaque lumière du trottoir, les carottes s'éclairaient en rouge, les navets s'éclairaient en blanc, les choux s'éclairaient en vert; et elles passaient l'une derrière l'autre, ces voitures rouges, d'un rouge de feu, blanches d'un blanc d'argent, vertes d'un vert d'émeraude. Je les suivis, puis je tournai par la rue Royale et revins sur les boulevards. Plus personne, plus de cafés éclairés, quelques attardés seulement qui se hâtaient. Je n'avais jamais vu Paris aussi mort, aussi désert. Je tirai ma montre. Il était deux heures.

Une force me poussait, un besoin de marcher. J'allai donc jusqu'à la Bastille. Là, je m'aperçus que je n'avais jamais vu une nuit si sombre, car je ne distinguais pas même la colonne de Juillet, dont le Génie d'or était perdu dans l'impénétrable obscurité. Une voûte de nuages, épaisse comme l'immensité, avait noyé les étoiles, et semblait s'abaisser sur la terre pour l'anéantir.

Je revins. Il n'y avait plus personne autour de moi. Place du Château-d'Eau, pourtant, un ivrogne faillit me heurter, puis il disparut. J'entendis quelque temps son pas inégal et sonore. J'allais. À la hauteur du faubourg Montmartre un fiacre passa, descendant vers la Seine. Je l'appelai. Le cocher ne répondit pas. Une femme rôdait près de la rue Drouot: « Monsieur, écoutez donc. » Je hâtai le pas pour éviter sa main tendue. Puis plus rien. Devant le Vaudeville un chiffonnier fouillait le ruisseau. Sa petite lanterne flottait au ras du sol. Je lui demandai: « Quelle heure est-il, mon brave? »

Il grogna: « Est-ce que je sais! J'ai pas de montre. »

Alors je m'aperçus tout à coup que les becs de gaz étaient éteints. Je sais qu'on les supprime de bonne heure, avant le jour, en cette saison, par économie; mais le jour était encore loin, si loin de paraître!

120 « Allons aux Halles, pensai-je, là au moins je trouverai la vie. »

Je me mis en route, mais je n'y voyais même pas pour me conduire. J'avançais lentement, comme on fait dans un bois, reconnaissant les rues en les comptant.

125 Devant le Crédit Lyonnais, un chien grogna. Je tournai par la rue de Grammont, je me perdis ; j'errai, puis je reconnus la Bourse aux grilles de fer qui l'entourent. Paris entier dormait, d'un sommeil profond, effrayant. Au loin pourtant un fiacre roulait, un seul fiacre, celui peut-être qui avait passé 130 devant moi tout à l'heure. Je cherchais à le joindre, allant vers le bruit de ses roues, à travers les rues solitaires et noires, noires, noires comme la mort.

Je me perdis encore. Où étais-je ? Quelle folie d'éteindre si tôt le gaz ! Pas un passant, pas un attardé, pas un rôdeur, 135 pas un miaulement de chat amoureux. Rien.

Où donc étaient les sergents de ville ? Je me dis : « Je vais crier, ils viendront. » Je criai. Personne ne répondit.

J'appelai plus fort. Ma voix s'envola, sans écho, faible, étouffée, écrasée par la nuit, par cette nuit impénétrable.

140 Je hurlai : « Au secours ! au secours ! au secours ! »

Mon appel désespéré resta sans réponse. Quelle heure était-il donc ? Je tirai ma montre, mais je n'avais point d'allumettes. J'écoutai le tic-tac léger de la petite mécanique avec une joie inconnue et bizarre. Elle semblait vivre. J'étais moins seul. 145 Quel mystère ! Je me remis en marche comme un aveugle, en tâtant les murs de ma canne, et je levais à tout moment les yeux vers le ciel, espérant que le jour allait enfin paraître ; mais l'espace était noir, tout noir, plus profondément noir que la ville.

Quelle heure pouvait-il être ? Je marchais, me semblait-il, 150 depuis un temps infini, car mes jambes fléchissaient sous moi, ma poitrine haletait, et je souffrais de la faim horriblement.

Je me décidai à sonner à la première porte cochère. Je tirai le bouton de cuivre, et le timbre tinta dans la maison

sonore ; il tinta étrangement comme si ce bruit vibrant eût
155 été seul dans cette maison.

J'attendis, on ne répondit pas, on n'ouvrit point la porte. Je sonnai de nouveau ; j'attendis encore, – rien !

J'eus peur ! Je courus à la demeure suivante, et vingt fois de suite je fis résonner la sonnerie dans le couloir obscur où
160 devait dormir le concierge. Mais il ne s'éveilla pas, – et j'allai plus loin, tirant de toutes mes forces les anneaux ou les boutons, heurtant de mes pieds, de ma canne et de mes mains les portes obstinément closes.

Et tout à coup, je m'aperçus que j'arrivais aux Halles.
165 Les Halles étaient désertes, sans un bruit, sans un mouvement, sans une voiture, sans un homme, sans une botte de légumes ou de fleurs. – Elles étaient vides, immobiles, abandonnées, mortes !

Une épouvante me saisit, – horrible. Que se passait-il ?
170 Oh ! mon Dieu ! que se passait-il ?

Je repartis. Mais l'heure ? l'heure ? qui me dirait l'heure ? Aucune horloge ne sonnait dans les clochers, ou dans les monuments. Je pensai : « Je vais ouvrir le verre de ma montre et tâter l'aiguille avec mes doigts. » Je tirai ma montre… elle ne
175 battait plus… elle était arrêtée. Plus rien, plus rien, plus un frisson dans la ville, pas une lueur, pas un frôlement de son dans l'air. Rien ! plus rien ! plus même le roulement lointain du fiacre, – plus rien !

J'étais aux quais, et une fraîcheur glaciale montait de la
180 rivière.

La Seine coulait-elle encore ?

Je voulus savoir, je trouvai l'escalier, je descendis… Je n'entendais pas le courant bouillonner sous les arches du pont… Des marches encore… puis du sable… de la vase…
185 puis de l'eau… j'y trempai mon bras… elle coulait… elle coulait… froide… froide… froide… presque gelée… presque tarie… presque morte.

Et je sentais bien que je n'aurais plus jamais la force de remonter… et que j'allais mourir là… moi aussi, de faim – de fatigue – et de froid.

Guy de Maupassant, « La nuit », dans *Le Horla et autres contes fantastiques*, Paris, Flammarion, coll. « Étonnants classiques », 1995, p. 111 à 119.

℘ Guy de Maupassant – (1850-1893)

« C'est un chef-d'œuvre qui restera », avait prédit Gustave Flaubert au sujet de *Boule de suif*, la toute première nouvelle publiée en 1880 par son protégé, Guy de Maupassant. Le grand romancier a vu juste : *Boule de suif* est aujourd'hui considéré comme un classique de la littérature française, et Maupassant, comme son plus remarquable nouvelliste. L'écrivain a en effet signé plus de trois cents nouvelles et six romans. Dans son premier recueil de nouvelles, *La maison Tellier* (1881), les grandes tendances de son œuvre se dessinent : d'un côté l'influence de l'école réaliste, un sens aigu de l'observation qui permet à Maupassant de brosser un tableau sans complaisance, souvent cruel, des mœurs de la bourgeoisie ; de l'autre, un portrait fantastique de la folie et de l'instinct de mort. Les nouvelles fantastiques de Maupassant ne sont pas sans lien avec son état de santé, lui qui se trouve atteint de syphilis depuis ses vingt ans. De plus en plus affecté par la maladie, l'auteur s'enfoncera dans la paranoïa et la névrose. En ce sens, son recueil de nouvelles intitulé *Le Horla* (1887) reflète sans doute sa psychose grandissante. Ce faisant, Maupassant aura à jamais marqué les imaginaires et réalisé l'ambition qu'il s'était lui-même dictée : « Les grands artistes sont ceux qui imposent à l'humanité leur illusion particulière. »

Guy de Maupassant est aussi l'auteur de :
– *Contes de la bécasse* (recueil de contes, 1883)
– *Le Horla* (recueil de nouvelles, 1887)
– *Pierre et Jean* (roman, 1888)

L'ENFANT DE DÉSIRÉE

KATE CHOPIN

Première parution : 1893.
Œuvre traduite de l'américain.
Nouvelle réaliste à teneur psychologique.

Comme la journée était agréable, Mme Valmondé prit la route pour aller à l'Abri voir Désirée et son enfant.

Désirée avec un bébé, voilà qui la faisait rire ! Car il lui semblait que c'était hier – Désirée elle-même n'était guère 5 plus qu'un bébé – que Monsieur, franchissant à cheval le portail de Valmondé, l'avait trouvée couchée et endormie à l'ombre du gros pilier de pierre.

La petite s'était réveillée dans les bras de Monsieur et s'était mise à réclamer « Papa ». Elle ne savait rien faire ni 10 rien dire de plus. Certains pensaient qu'elle s'était égarée toute seule, étant à l'âge où l'on commence à trotter. Mais l'opinion la plus répandue était qu'elle avait été volontairement abandonnée par une bande de Texans dont le chariot bâché, tard dans la journée, avait emprunté le bac tenu par 15 Coton Maïs, juste en dessous de la plantation. Avec le temps, Mme Valmondé avait renoncé à toute conjecture, ne retenant que ceci : une providence bienfaisante, voyant qu'elle n'avait pas d'enfant de sa chair, lui avait envoyé Désirée, qui serait l'enfant de son cœur. Car, en grandissant,

20 la petite fille était devenue belle et douce, affectueuse et sincère – l'idole de Valmondé.

Comment s'étonner qu'un jour, alors qu'elle était appuyée au pilier de pierre où elle s'était endormie dix-huit ans auparavant, Armand Aubigny, passant par là à cheval, 25 soit tombé amoureux d'elle au premier regard. C'est ainsi qu'on tombait amoureux chez les Aubigny, comme atteint d'un coup de pistolet. L'étonnant, c'était que l'amour ne l'eût pas saisi plus tôt, car il la connaissait depuis qu'il était arrivé de Paris, d'où son père l'avait amené, à l'âge de huit 30 ans, après la mort de sa mère. La passion qui s'éveilla en lui ce jour-là, lorsqu'il la vit au portail, déferla comme une avalanche, ou un feu de prairie, ou toute chose qui franchirait allègrement n'importe quel obstacle.

M. Valmondé, gagné par le sens des réalités, tint à ce que 35 l'on prît bien tout en considération – à savoir l'obscure origine de la jeune fille. Armand la regarda au fond des yeux, sans se soucier de rien. On lui rappela qu'elle n'avait pas de nom. Quelle importance puisqu'il pouvait lui donner un des noms les plus anciens et les plus nobles de Louisiane ? Il 40 commanda la *corbeille*[1] à Paris et s'efforça tant bien que mal de contenir son impatience jusqu'à son arrivée ; puis ils se marièrent.

Il y avait quatre semaines que Mme Valmondé n'avait pas vu Désirée et son enfant. Quand elle arriva à l'Abri, elle 45 frémit dès qu'elle aperçut la demeure, comme toujours. Le lieu était triste, privé depuis des années de la douce présence d'une maîtresse, le vieux M. Aubigny s'étant marié en France et y ayant enterré son épouse, trop attachée qu'elle était à son pays pour jamais le quitter. Le toit noir et pentu semblait 50 enfoncé comme un capuchon sur les larges galeries qui faisaient le tour des murs de stuc jaune. De grands chênes

1. Les mots en italique dans cette nouvelle sont en français dans le texte original.

imposants poussaient près de la maison, et l'ombre de leurs branches envahissantes, au feuillage épais, la recouvrait tel un drap mortuaire. De plus, chez le jeune Aubigny, la sévé-
55 rité était de règle, et ses nègres, sous sa coupe, avaient oublié l'art d'être gais, comme au temps de la clémence débonnaire de leur ancien maître.

La jeune mère se remettait lentement, allongée sur un lit de repos, dans ses mousselines et ses dentelles blanches et
60 légères. Le bébé était à ses côtés, au creux de son bras, où il s'était endormi en prenant le sein. La nourrice, assez claire de peau, s'éventait, assise près d'une fenêtre.

Mme Valmondé pencha sa corpulente personne au-dessus de Désirée, l'embrassa en la tenant un instant tendrement
65 dans ses bras. Puis elle se tourna vers l'enfant.

« Non, ce n'est pas lui ! » s'écria-t-elle d'une voix effarée. En ce temps-là, le français était la langue parlée à Valmondé.

« J'étais sûre, s'esclaffa Désirée, que vous seriez étonnée de voir comme il a grandi. Ce petit *cochon de lait*! Regardez
70 ses jambes, maman, et ses mains, et ses ongles – de vrais ongles. Zandrine a dû les lui couper ce matin. Pas vrai, Zandrine ? »

La femme acquiesça majestueusement de sa tête enturbannée : « Mais si, madame. »

75 « Et, poursuivit Désirée, il pousse des cris assourdissants. L'autre jour, Armand l'a entendu de la cabane de La Blanche. »

Mme Valmondé n'avait pas quitté l'enfant des yeux. Elle le prit dans ses bras et se dirigea avec lui vers la fenêtre la plus éclairée. Elle examina le bébé de près puis, avec le
80 même air scrutateur, elle posa son regard sur Zandrine, qui avait tourné la tête et fixait les champs au loin.

« Oui, il a grandi, il a changé, dit Mme Valmondé, lentement, en le remettant à côté de sa mère. Qu'en dit Armand ? »

Le visage de Désirée s'empourpra d'une lueur radieuse qui dénotait le bonheur absolu.

« Ah, Armand est le père le plus fier de la paroisse, surtout, je crois, parce que c'est un garçon qui portera son nom ; même s'il s'en défend, arguant qu'il aurait tout autant aimé une fille. Mais je sais que ce n'est pas vrai. Je suis sûre qu'il dit cela pour me faire plaisir. Et puis, maman, murmura-t-elle en attirant vers elle le visage de Mme Valmondé, depuis la naissance du bébé, il n'en a pas puni un seul, pas un. Pas même Négrillon, qui avait fait semblant de se brûler la jambe pour échapper au travail ; il s'est contenté de rire, en ajoutant que Négrillon était un fieffé coquin. Ah, maman, je suis si heureuse que cela m'effraie. »

Désirée disait vrai. Le mariage, et par la suite la naissance de son fils, avaient nettement adouci la nature autoritaire et exigeante d'Armand Aubigny. Pour le plus grand bonheur de la douce Désirée, qui l'aimait éperdument. Quand il plissait le front d'un air sombre, elle tremblait, mais elle l'aimait. Quand il souriait, elle ne demandait pas au Ciel de meilleure faveur. Ces airs sombres n'avaient pourtant que rarement défiguré le beau visage ténébreux d'Armand depuis le jour où il était tombé amoureux d'elle.

Quand le bébé eut trois mois environ, Désirée se réveilla un matin avec la conviction que quelque chose menaçait sa paix. Une chose d'abord si subtile qu'elle était impossible à saisir. Comme un vague avertissement, troublant ; un air mystérieux chez les nègres ; des visites inattendues de lointains voisins qui avaient peine à justifier leur venue. Et puis, chez son mari, un changement d'attitude étrange et terrible, dont elle n'osait pas demander la cause. Quand il lui parlait, c'était en détournant les yeux, d'où la flamme amoureuse d'autrefois semblait avoir disparu. Il s'absentait souvent ; lorsqu'il était là, il les évitait, elle et son enfant, sans aucune raison. Et, à voir comment il traitait les esclaves, on l'aurait cru soudain possédé par l'esprit de Satan. Désirée était malheureuse à mourir.

Dans sa chambre, en *peignoir*, par une chaude après-midi, elle passait négligemment les doigts dans les longues mèches soyeuses de ses cheveux bruns qui retombaient sur ses épaules. Le bébé, à moitié nu, dormait sur le grand lit d'acajou de sa mère, qui ressemblait à un trône somptueux avec son demi-baldaquin doublé de satin. Un des jeunes quarterons de La Blanche – à moitié nu lui aussi – éventait doucement l'enfant avec un éventail en plumes de paon. Les yeux de Désirée s'étaient fixés sur le bébé d'un air distrait et triste, tandis qu'elle essayait de percer cette brume menaçante dont elle sentait l'emprise se resserrer autour d'elle. Son regard passait sans cesse de l'enfant au petit garçon debout à côté de lui, puis revenait se poser sur le bébé. « Ah ! » Ce cri, elle ne put le retenir ; et elle ne s'aperçut pas qu'il lui avait échappé. Son sang se glaça dans ses veines, et son visage se couvrit de sueur.

Elle voulut parler au jeune quarteron ; mais elle ne put d'abord émettre aucun son. Quand il entendit prononcer son nom, il leva les yeux : sa maîtresse lui montrait la porte. Il posa le large éventail duveteux et s'esquiva docilement, traversant le parquet ciré sur la pointe de ses pieds nus.

Elle resta immobile, les yeux rivés sur son enfant, l'effroi peint sur son visage.

Bientôt son époux entra dans la pièce : sans la voir, il se dirigea vers une table et se mit à fouiller parmi les papiers qui la jonchaient.

« Armand », s'écria-t-elle, d'une voix qui aurait dû lui transpercer le cœur s'il avait eu quelque humanité. Mais il n'entendit rien. « Armand », répéta-t-elle. Puis elle se leva et alla vers lui en chancelant. « Armand, dit-elle encore d'une voix haletante en lui prenant le bras, regarde notre enfant. Qu'est-ce que ça signifie ? Explique-moi. »

Il détacha de son bras les doigts de sa femme, avec froideur mais sans brutalité, et il rejeta sa main.

— Explique-moi ce que ça signifie, s'écria-t-elle désespérément.

— Ça signifie, répondit-il d'un ton dégagé, que l'enfant n'est pas blanc ; ça veut dire que tu n'es pas blanche.

L'intelligence soudaine de tout ce qu'une telle accusation impliquait pour elle l'arma d'un courage inhabituel pour la récuser. « Tu mens ; ce n'est pas vrai, je suis blanche ! Regarde, j'ai les cheveux bruns ; et les yeux gris, Armand, tu sais bien qu'ils sont gris. Et j'ai la peau claire. » Elle lui saisit le poignet. « Regarde ma main ; elle est plus blanche que la tienne, Armand », s'exclama-t-elle avec un rire hystérique.

— Blanche comme celle de La Blanche, répliqua-t-il cruellement. Et il partit, la laissant seule avec leur enfant.

Quand elle fut capable de tenir une plume, elle envoya une lettre désespérée à Mme Valmondé.

« Ma mère, on me dit que je ne suis pas blanche. Armand m'a dit que je n'étais pas blanche. Pour l'amour du Ciel, dites-leur que ce n'est pas vrai. Vous devez bien savoir que ce n'est pas vrai. Je vais mourir. Il faut que je meure. Je ne peux pas être aussi malheureuse et continuer à vivre. »

La réponse qui lui arriva était sans détour elle aussi :

« Ma Désirée,

Reviens à Valmondé, reviens chez ta mère qui t'aime. Viens avec ton enfant. »

Quand cette lettre lui parvint, Désirée la porta dans le bureau de son mari et la déplia sur le secrétaire derrière lequel il était assis. Elle était comme une statue : muette, blanche et immobile, après avoir déposé le message.

En silence, il le parcourut de son regard froid. Il ne dit mot.

— Dois-je m'en aller, Armand? demanda-t-elle d'une voix acérée par l'angoisse de l'attente.

185 — Oui, va-t'en.

— Tu veux que je m'en aille?

— Je veux que tu t'en ailles, oui.

Il trouvait que le Tout-Puissant l'avait traité cruellement et injustement; si bien qu'il avait, en quelque sorte, le sen-
190 timent de Lui rendre la monnaie de sa pièce en poignardant ainsi son épouse au tréfonds de son âme. D'ailleurs, il ne l'aimait plus, en raison du tort involontaire qu'elle avait fait à sa maison et à son nom.

Elle se détourna, comme assommée par le coup, et se di-
195 rigea lentement vers la porte, espérant qu'il allait la rappeler.

« Adieu, Armand », gémit-elle.

Il ne lui répondit pas. C'était le coup d'arrêt qu'il portait au sort.

Désirée s'en alla chercher son enfant. Zandrine arpentait
200 avec lui la galerie obscure. Sans un mot d'explication, elle retira le petit des bras de la nourrice, descendit les marches, et s'éloigna sous les branchages des grands chênes.

C'était une après-midi d'octobre; le soleil se couchait. Au loin, dans les champs paisibles, les nègres cueillaient le
205 coton.

Désirée avait gardé sa tenue blanche et légère, et ses mules. Elle était nu-tête et, sous les rayons du soleil, ses mèches brunes prenaient un reflet doré. Elle laissa la route de terre battue qui menait à la lointaine plantation de Valmondé.
210 Elle traversa un champ désert, où le chaume blessa ses pieds graciles, si délicatement chaussés, et réduisit en lambeaux sa robe fragile.

Elle disparut parmi les roseaux et les saules qui poussaient en abondance le long des rives du bayou profond et
215 paresseux ; et elle ne revint pas.

Quelques semaines plus tard, une scène étrange se déroula à l'Abri. Au milieu de la cour bien balayée, à l'arrière de la maison, brûlait un grand feu de joie. Armand Aubigny était assis dans la vaste entrée d'où il dominait le spectacle, et
220 c'était lui qui passait à une demi-douzaine de nègres les objets qui entretenaient le brasier.

Un gracieux berceau d'osier aux garnitures raffinées fut placé sur le bûcher, qui avait déjà dévoré les richesses d'une *layette* de valeur. Puis vinrent des robes de soie, auxquelles
225 s'ajoutèrent des toilettes de velours et de satin, ainsi que des dentelles et des broderies, des capelines et des gants – car la *corbeille* était d'une rare qualité.

La dernière chose à disparaître fut une toute petite liasse de lettres – d'innocents gribouillis que Désirée avait envoyés
230 à Armand au temps de leurs épousailles. Un dernier feuillet était resté au fond du tiroir où il les avait prises. Ce n'était pas une lettre de Désirée ; c'était un feuillet d'une lettre que sa mère avait adressée à son père autrefois. Il la lut. Elle rendait grâce à Dieu de l'amour béni que lui portait son
235 mari :

« Mais par-dessus tout, écrivait-elle, je remercie le Bon Dieu nuit et jour d'avoir ordonné notre vie de telle sorte que notre cher Armand ignorera toujours que sa mère, qui l'adore, appartient à la race maudite marquée au fer de l'esclavage. »

Kate Chopin, « L'enfant de Désirée », dans *Une nuit en Acadie*,
traduit de l'américain par Marie-Claude Peugeot,
Paris, Éditions des Syrtes, 2002, p. 17 à 29.

ꝏ Kate Chopin – (1850-1904)

« Quel mystère que la pensée inconnue d'un être, la pensée cachée et libre, que nous ne pouvons ni connaître, ni conduire, ni dominer, ni vaincre ! » Ces mots de Maupassant, Kate Chopin les a admirés et traduits dans les années 1890, alors qu'après la mort de son mari, avec six enfants à sa charge, elle amorce sa carrière d'écrivaine. D'origine irlandaise et franco-canadienne, Kate Chopin élève sa famille en Louisiane, où elle s'immerge dans la culture créole, dont seront empreints ses recueils de nouvelles *Bayou Folk* (1894) et *Une nuit en Acadie* (1897). Mais c'est d'abord pour avoir exprimé la pensée « cachée et libre » des femmes que Kate Chopin a marqué l'histoire. En 1899, son roman *L'éveil* décrit, avec une franchise inouïe pour l'époque, l'éveil sensuel et l'émancipation d'une jeune femme. La critique jugera le roman immoral et scandaleux ; aujourd'hui, *L'éveil* est considéré comme un classique de la littérature américaine et Kate Chopin, comme l'une des toutes premières auteures féministes.

Kate Chopin est aussi l'auteure de :
– *Bayou Folk* (recueil de nouvelles, 1894)
– *L'éveil* (roman, 1899)

L'ANNEAU DES FIANÇAILLES

PAMPHILE LE MAY

Première parution: 1899.
Œuvre francophone du Québec.
Nouvelle réaliste.

Il ne s'en est jamais consolé, de cette escapade. À la vérité, c'était jouer de malheur, et rarement un scalpel se fourvoie aussi… plaisamment que le sien l'avait fait ce jour-là. Il aurait pu lui arriver pis cependant. Le mariage pouvait manquer, et un mariage manqué, c'est une catastrophe, si la dot est ronde et le fiancé, carré.

Mon intervention l'a sauvé. En ce temps-là l'intervention était chose permise. On y mettait de la discrétion et de la bonne foi, et d'ordinaire, tout finissait bien. C'était la franchise même que ce garçon ; il était franc comme l'épée du roi. Ne me demandez pas de quel roi, je serais un peu embarrassé ; ils ne sont pas tous disparus, et ceux qui s'attardent encore traînent des épées qui ne rendent guère témoignage à la vérité.

J'oubliais de vous le nommer. Il s'appelait Noé Bergeron. Pourquoi Noé ? Probablement parce que son père avait lu la Bible et aimait les antiquités. Peut-être aussi parce qu'il ne boudait pas son verre, et qu'il s'était endormi plus d'une fois dans les vignes du Seigneur[1].

20 Pourquoi Bergeron?... Par exemple! Voilà un point d'interrogation qui m'a échappé.

Donc, il s'appelait Noé Bergeron. Qu'est-il devenu? Il exerce la médecine avec succès dans une grande paroisse où les gens vivent très vieux et meurent pour se reposer. Il n'est 25 plus jeune et il doit être gris, car nous avons le même âge sinon les mêmes goûts.

Il étudiait la médecine pendant que je faisais semblant d'étudier le droit. Je lui donnais des avis et il me donnait des pilules. Je calmais ses inquiétudes et il calmait mes souf-30 frances. Nous sommes quittes.

J'étais à ses fiançailles. Il y avait beaucoup d'invités, tous de la haute; l'aristocratie des lettres et l'aristocratie des écus, des diplômés et des cossus. Les parents de la campagne regardaient de loin. Des musiciens en habits, cravatés de 35 blanc, rangés dans un coin du vaste salon, soufflaient de leurs cuivres une poussière de notes brillantes qui nous enivrait. Et puis la danse allait, allait, comme au temps où elle était une chose agréable au Seigneur.

Amaryllis voltigeait comme une phalène. On eût dit le 40 même bourdonnement d'ailes. Vous savez? la phalène, ce beau papillon de nuit qui vient brûler à la flamme des candélabres, son corsage de velours et ses ailes de cire. Amaryllis, c'était la fiancée, Amaryllis Belleau. Un beau brin de fille, je m'en souviens, et mise à ravir. Elle portait... Voyons, que 45 portait-elle? Ma foi! je ne m'en souviens plus. Seulement, ça lui allait à merveille. Des cheveux noirs comme des ailes

1. Autrement dit: «Peut-être parce qu'il aimait boire, comme Noé, qui s'était enivré du vin de sa vigne.» Allusion aux versets suivants du livre de la Genèse: «Noé, le cultivateur, commença de planter la vigne. Ayant bu du vin, il fut enivré et se dénuda à l'intérieur de sa tente.» (Genèse, chapitre IX, versets 20 et 21.)

de corbeau, bouclés… Non pas noirs, couleur de blé mûr, plutôt. Pour ça pas de doute. Ce qui la rendait séduisante surtout, c'était ce grand œil rêveur, même dans les bouffées 50 de joie. Un œil où l'azur du ciel… L'azur… je ne sais pas trop. Or, je ne veux rien affirmer d'incertain, comme mon ami Noé Bergeron, je suis esclave de la vérité ; la vérité je ne connais que ça.

Pauvre Noé, si jamais ces lignes tombent sous ses yeux, il 55 va bien rire… à moins qu'il ne se fâche à cause de mon indiscrétion. Bah ! je dirai que c'est une histoire que j'ai inventée pour amuser les lecteurs de la *Revue canadienne.*

Le commencement de l'affaire – car il faut commencer par le commencement – ce fut une escapade de trois étudiants 60 en médecine et d'un étudiant en droit. L'étudiant en droit, c'était moi.

Je ne sais trop si je ne devrais pas parler, d'abord, de la mort de madame Belleau. Cette mort est bien la cause première de l'incident, et mon histoire serait courte sans cela.

65 Apprenez donc qu'à l'époque de la grande soirée des fiançailles, la mère était, depuis quelques années déjà, partie pour un monde meilleur, ce qui ne doit pas être chose difficile à trouver. Monsieur Belleau ne s'était pas vite consolé ; il ne s'était pas encore consolé. La tendresse de sa fille apportait 70 bien un adoucissement à sa douleur, mais ne pouvait la calmer tout à fait. Rien ne remplace la femme aimée, surtout quand la maternité a sanctifié l'amour en le comblant.

Je reviens à l'escapade. Il vaut mieux commencer par là. Noé me demanda de me joindre à lui et à ses camarades pour 75 faire une petite expédition nocturne dans un cimetière. J'avais eu envie d'étudier la médecine, et cela faisait comme un trait d'union entre les disciples d'Esculape et moi.

Un peu vague, le trait d'union, il est vrai. Ensuite, je n'avais point peur des morts. Pauvres morts ! Que voulez-80 vous qu'ils fassent ?… Si seulement ils pouvaient parler !

Combien de fois j'ai désiré converser avec eux! Comme il serait curieux de leur entendre raconter les émotions du départ d'ici et de l'arrivée là-bas!... Ils nous apprendraient le mystère des rapports intimes entre les créatures de notre
85 monde et celles des autres mondes. Ils nous parleraient peut-être des canaux gigantesques de Mars[2] et nous diraient pourquoi, à certaines époques, ils se dédoublent. Ils nous révèleraient le secret des étoiles blanches, comme Sirius, Véga ou Altaïr; des étoiles jaunes, comme Arcturus, Pollux
90 ou La Chèvre; des étoiles rouges, comme Bételgeuse, Antarès, Algol. Ils nous raconteraient comment ils nous voient des profondeurs de l'infini où ils se sont envolés, pendant que nous, nous avons peine à voir plus loin que notre nez. Nous ne pouvons pas découvrir les sentiments faux de l'ami qui
95 nous sourit, les calculs égoïstes de la main qui nous relève, les roueries coupables du politiqueur qui nous harangue, la fragilité des promesses que nous fait l'amitié, la jalousie des confrères qui nous félicitent, *et cætera.*

Je n'avais pas peur des morts. Il était onze heures du soir
100 quand nous mîmes dans la main du gardien la pièce blanche nécessaire pour faire ouvrir l'infâme barrière. La dernière barrière qui tombera sera bien dans le voisinage de notre bonne ville de Québec. Les fortifications s'écroulent mais les barrières restent debout. Fouette cocher; mon récit s'at-
105 tarde trop. Il était discret, notre cocher. Au reste sa discrétion lui rapportait de jolis deniers. Une vertu intéressée est peut-être moins belle mais elle est plus sûre.

2. À l'époque, les astronomes avaient longuement observé un réseau de lignes à la surface de la planète Mars et avaient conclu qu'il s'agissait de canaux creusés par les hypothétiques habitants de cette planète. Aujourd'hui, on sait que ces canaux n'ont jamais existé et que ce que les savants d'alors avaient pris pour tels étaient en réalité d'immenses canyons, en comparaison desquels le Grand Canyon, dans le plateau du Colorado, fait figure de rigole creusée par des enfants qui s'amusent...

Sur la route large et dure les roues produisaient un grondement sonore et monotone qui nous aurait endormis comme une berceuse, si l'acte audacieux que nous accomplissions ne nous eût tenus en éveil. De temps en temps, les bêches d'acier que nous emportions se heurtaient, et nous pensions aux clous du cercueil qui grinceraient tout à l'heure en se cassant.

— Nous voici rendus, fit le cocher qui n'avait rien dit encore.

— Déjà ?

Cette surprise nous échappa. Nous n'avions peut-être pas hâte d'arriver.

La nuit était tiède ; une superbe nuit d'été, moins la lune et les étoiles. C'est quelque chose, je l'avoue. Le ciel nuageux nous annonçait une averse, mais nous enveloppait d'ombres. Un silence profond régnait partout ; personne sur la route ; pas de lumières aux fenêtres des maisons voisines. Des morts, rien que des morts ! Nous étions dans le cimetière. Joseph Labruère connaissait la fosse. Tiens ! je ne voulais pas le nommer, celui-là… N'importe, allons ! Joseph Labruère nous dit :

— Venez par ici.

— Attends, observa avec raison Noé, il est bon de se réconforter un brin.

Et il nous présenta une gourde qui n'avait encore rien perdu de sa fraîcheur. Il se fit un petit bruit dans un coin du cimetière. Un hibou, peut-être, qui se fatiguait de veiller seul sur un cyprès, peut-être un blaireau qui revenait heureux en sa retraite…

— Allons ! en voilà un qui se réveille avant la résurrection[3], fit Gaspard Côté.

3. La résurrection des morts à la fin des temps, selon la tradition judéo-chrétienne.

Bon! voilà l'autre nommé. Maintenant que vous les connaissez tous, je continue. Nous suivîmes Labruère. Nous marchions d'un pas léger afin de ne pas faire crier le sable, et de temps en temps nous nous arrêtions pour écouter. Le cocher faisait sentinelle, ou dormait sur son siège.

— Ici, fit Labruère, à voix basse, ici!

Un éclair jaillit de la nue, et dans la lumière rouge, sous les grands arbres, toutes les croix du cimetière parurent sortir de terre.

— Hâtons-nous, dit Noé; il faut finir avant l'orage.

Les bêches s'enfoncèrent dru dans le sable nouvellement remué. Un quart d'heure s'était à peine écoulé que le tombeau rendit un bruit sourd. Les instruments l'avaient heurté. Un frisson passa dans les veines de mes compagnons. S'ils avaient eu le courage d'avouer leur peur, j'aurais avoué mes remords. L'amour-propre nous scella la bouche mieux que les clous n'avaient scellé la bière.

Enfin, nous parvenons à ouvrir cette porte que l'on croyait à jamais fermée sur le mort, et nous réunissons toutes nos forces pour enlever le lugubre fardeau et le hisser sur le bord de la fosse béante. Un autre éclair illumina les airs et des reflets blafards descendirent jusque sur la tombe encore ouverte, au fond du trou. Le cadavre que nous tenions reçut la lumière en pleine figure. Nous ne pûmes retenir un cri. Nous avions fait erreur. Notre guide s'était trompé.

Nous étions venus chercher un pauvre diable de matelot décédé à l'hôpital, et nous avions entre les bras les dépouilles mortelles d'une femme. Il était trop tard pour recommencer. Nous étions tous un peu fatigués aussi. Et puis le sujet ne servirait pas moins bien la science, quand il serait sur la table de marbre de la dissection. Pour apaiser la conscience qui avait des velléités de révolte, la gourde fut vidée. C'est l'argument suprême. Les remords se turent et nous filâmes au trot vers la cité mal endormie.

Inutile de dire que nous avions fait disparaître la trace de notre sacrilège. Le fossoyeur n'avait pas ratissé le sable béni avec un soin plus scrupuleux.

175 La femme dont nous avions, malgré nous, troublé le repos sacré, paraissait jeune encore et gardait, sous la pâleur effrayante de la mort, les traces d'une beauté frappante. Elle portait au doigt un anneau d'une grande valeur, un large cercle d'or fin où l'artiste avait incrusté une guirlande de 180 petits diamants.

Que faire de cet anneau? Notre honnêteté était déjà proverbiale et nulle pensée mauvaise ne vint à notre esprit. Nous résolûmes de le vendre et d'en rendre la valeur à la défunte, sous forme de messes basses[4]. Plus tard, Noé 185 Bergeron, qui ne ménageait pas les écus de son père, un riche marchand des environs de Montréal, racheta le bijou et le serra, soigneusement enveloppé dans une touffe de ouate blanche. Il le destinait au doigt mignon d'une adorable créature qu'il ne connaissait encore qu'en rêve.

190 Quelques années s'écoulèrent et nous fîmes un grand pas dans la vie. Chacun de nous prit son chemin et commença la lutte pour l'existence.

Noé avait fixé ses pénates dans une place d'eau. À Cacouna, je crois. Je n'affirme point. Il jugeait que les bains 195 lui seraient d'un grand recours, à cause de l'imprudence des baigneurs; cependant, sa confiance n'allait pas jusqu'à espérer de rendre la vie aux infortunés qui l'auraient définitivement laissée au fond des eaux amères.

4. À l'époque, on avait coutume de faire dire des messes pour le repos de l'âme des défunts, moyennant une rétribution en argent versée au curé de la paroisse. Les quatre profanateurs de la sépulture décidèrent donc, pour soulager leur conscience – et aussi pour rendre autant que possible à la défunte femme ce qui était son dû – d'utiliser l'argent de l'anneau pour payer des messes célébrées à son intention.

Il fut appelé, un jour, auprès d'une jeune fille qui s'était
200 en effet trop attardée dans l'onde caressante mais perfide. On l'avait retirée à demi noyée. Il la sauva. Elle eût été sauvée sans lui, mais il était écrit que la chose arriverait ainsi. Elle eut de la reconnaissance envers son jeune médecin. De la reconnaissance à l'amitié, la transition est
205 toute naturelle et la distance, toute courte. Elle lui donna son amitié. De l'amitié à l'amour, le saut n'est jamais brusque et le chemin est quelquefois long. Elle parcourut le chemin. Lui, il l'avait aimée du premier coup d'œil; il avait franchi l'espace d'un seul bond.

210 Et voilà pourquoi ils fêtaient leurs fiançailles. Car elle, vous n'en doutez pas, c'est mademoiselle Amaryllis Belleau.

Nous voilà donc revenus à la soirée des fiançailles. Le chant, la danse, les récitations se succédaient avec la régularité désespérante des symphonies trouées[5] que déroulent
215 mécaniquement les musiciens de la rue. Il y avait, dans l'atmosphère chaude, des senteurs exquises que les éventails des dames, gracieusement agités, faisaient courir et flotter sans bruit, de toute part. Quand l'heure du réveillon sonna, les cuivres et les violons suspendirent leurs poétiques accords,
220 et le cliquetis des couteaux et des fourchettes, ô sacrilège! parut doux à l'oreille des gourmets.

L'homme ne vit pas seulement de son[6]... Que de mets succulents furent savourés! que de rasades joyeuses furent bues! La première, la plus solennelle, la seule universelle,

---

5. Sur les pianos mécaniques et les orgues de Barbarie, les touches de l'instrument sont mues par une feuille de papier fort percée de trous qui défile au contact d'une série d'aiguilles s'insérant dans ces trous et reliées mécaniquement aux touches.

6. Allusion à une parole de la Bible: «L'homme ne vit pas seulement de pain.» Ici, l'auteur joue sur l'homophonie de son (de la musique) et de son (du blé dont on fait le pain...).

peut-être, ce fut quand le père Belleau, une petite moustache sur une grosse lèvre, un ventre rebondi, paré, sur le côté, d'une pesante breloque, proposa la santé des fiancés. Au même instant, Noé, mon ami Noé, tout ému, rouge comme un coquelicot, passa au doigt d'Amaryllis l'anneau précieux qu'il conservait depuis si longtemps dans la ouate. Amaryllis poussa un petit cri de surprise, et nous crûmes qu'il lui serrait trop l'annulaire. Elle se prit à regarder le joyau avec une grande attention, et puis on la vit pâlir.

Le fiancé était tout fier. Le père débitait son discours de circonstance avec une verve digne d'une meilleure grammaire. Quand il eut fini, il se pencha sur la main de sa fille.

— Oh ! fit-il, d'une voix drôle.

Puis un moment après :

— Je ne croyais pas qu'il y en eût deux pareils.

Noé devenait rêveur. Amaryllis gardait un silence inquiétant.

Monsieur Belleau reprit :

— Montre donc, Amaryllis.

Amaryllis lui passa l'anneau.

— Mais il est tout à fait semblable à celui que j'ai donné à ma chère défunte… On jurerait que c'est le même… C'est singulier !... singulier !... Et le même nom gravé en dedans. Amaryllis !...

— C'est le nom de ma fiancée, observa Noé d'une voix qui s'efforçait de paraître sûre.

— C'est vrai ! c'est vrai !... Amaryllis, comme sa pauvre mère… reprit monsieur Belleau.

Puis il demanda :

— Où donc l'avez-vous acheté, Monsieur Bergeron ?

Noé hésita. Je crus un instant qu'il était perdu. Il ne voulait pas mentir, et il cherchait une réponse acceptable.

— C'est un souvenir de famille, dit-il, enfin, un souvenir qui me coûte assez cher cependant…

Je vins à son secours. Dieu me pardonnera mon petit
260 mensonge en faveur de ma bonne intention… ou bien il le
fera expier à mon ami.

— Quand ta sœur a tiré cet anneau de son doigt pour
te le donner, dis-je alors, d'une voix pleine de larmes, elle n'a
pu s'empêcher de pleurer abondamment. C'était l'anneau
265 de ses fiançailles à elle aussi.

Tous les convives me regardèrent avec anxiété. Noé était
ahuri.

— Son fiancé venait de mourir, repris-je hardiment, et
elle mourait à son tour… Elle mourait au monde… Elle
270 allait s'enfermer dans un couvent.

Il y eut un murmure approbateur. Tout le monde voulut
voir l'intéressant anneau.

— J'espère, dis-je encore, que cet anneau va porter
bonheur désormais, et que mademoiselle Amaryllis ne finira
275 pas ses jours dans le cloître, mais au foyer du plus dévoué
des maris et du plus loyal des amis.

Noé pleurait d'attendrissement. Il se sentait sauvé.
Monsieur Belleau reprit sentencieusement :

— Garde bien ce souvenir, ma fille, il est précieux à
280 plus d'un titre… et quand tu mourras…

— Oh ! ne parlez pas de ça, fit Noé vivement…

— Tout de même, me dit-il plus tard, j'éprouve un
grand remords d'avoir mis le scalpel dans les chairs de belle-
mère.

285 — Bah ! lui répliquai-je, ce n'est pas souvent qu'une
belle-mère est déchirée au nom de la science.

Pamphile Le May, « L'anneau des fiançailles », dans *Contes vrais*, Montréal,
Bibliothèque québécoise, 2004, p. 190 à 199.

ꝏ PAMPHILE LE MAY – (1837-1918)

Pamphile Le May, qui fut pendant vingt-cinq ans le bibliothécaire de l'Assemblée nationale du Québec, aura dans sa carrière d'écrivain touché à tous les genres littéraires : nouvelle, roman, fable, vaudeville, drame, essai, causerie, poésie épique et lyrique. On lui doit notamment le tout premier recueil de sonnets de la littérature canadienne (*Les gouttelettes*, 1904). Aujourd'hui, cependant, on se souvient surtout du conteur : ses *Contes vrais*, publiés en 1899, sont généralement considérés comme son œuvre la plus aboutie. Pamphile Le May y a d'ailleurs apporté un soin particulier : il a publié une seconde édition revue et augmentée de ses contes en 1907, et en préparait une troisième à l'heure de sa mort.

Pamphile Le May est aussi l'auteur de :
– *Les vengeances* (poésie, 1875)
– *Le pèlerin de Sainte-Anne* (roman, 1877)
– *Picounoc le maudit* (roman, 1878)

Un sac de dame en perles

Tennessee Williams

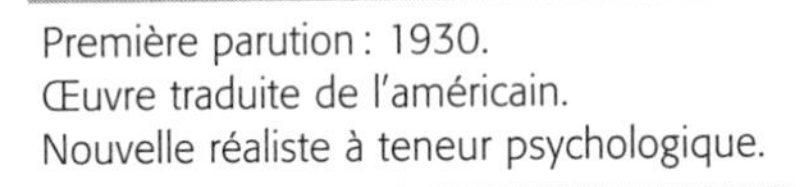
Première parution : 1930.
Œuvre traduite de l'américain.
Nouvelle réaliste à teneur psychologique.

Par une froide soirée de novembre, un petit homme marchait péniblement le long d'une allée, portant sur ses épaules un énorme sac, plein à craquer. Il avançait, d'une démarche fugitive et empruntée, tel un vieux bâtard fatigué qui sent instinctivement que seule une extrême prudence peut le mettre à l'abri d'une agression. Cet homme ne vivait pas dans l'illégalité, il n'avait pas lieu de craindre d'être molesté par les forces de l'ordre. Et pourtant, tout dans son comportement trahissait la culpabilité et la peur d'être reconnu. Il longeait les murs des garages, comme s'il cherchait à se dissimuler dans l'ombre, et évitait la lumière des quelques réverbères. À chaque fois qu'il croisait un passant, il baissait la tête et évitait son regard. Cette attitude n'était pas celle de la dureté ni de la hardiesse insolente de ses semblables. Il semblait accablé par un sentiment presque névrotique d'humilité et de honte.

Depuis quinze ans, il était chiffonnier. Chaque jour, il suivait un trajet immuable, à travers les allées d'un quartier résidentiel huppé, fouillant les poubelles à la recherche de vieilles chaussures, de divers objets de métal cassés et rouillés, de ballots d'étoffes sales et déchirées. Il revendait pour une misère le produit de ses fouilles aux marchands qui savaient tirer profit de ces camelotes. Cette activité lui serait apparue insupportablement fastidieuse s'il n'avait été soutenu, durant ces quinze années, par un fol espoir : l'espoir de découvrir un jour, parmi tous ces rebuts, un objet de grande valeur, jeté par mégarde à la poubelle : une bague, ou une épingle de diamants, une montre de prix ou des boucles d'oreilles, un bijou qui vaudrait une centaine de dollars – de quoi assouvir enfin tous ses rêves de mendiant.

Certains soirs, son cœur avait battu très fort au scintillement d'un simple morceau de verre, ou à la vue d'un bout de papier d'argent sur le rebord d'une poubelle. Et, bien qu'il n'ait jamais rien trouvé encore que des débris de métal, de cuir ou d'étoffe sans valeur, l'espoir n'était pas mort en lui.

Il s'était fait une règle impérative de suivre chaque jour son itinéraire jusqu'au bout. Et c'est pourquoi, ce soir-là, bien que son sac soit déjà bourré de tout ce qu'il pouvait contenir, il ne rentrerait pas chez lui avant d'avoir inspecté les derniers recoins du quartier. Les pieds et le dos douloureux, il allait péniblement d'une poubelle à l'autre, s'arrêtant parfois pour changer une des trouvailles déjà enfouies dans son sac contre une autre, qui lui semblait plus intéressante. Il tomba en arrêt devant l'une des poubelles, qui se trouvait entièrement coiffée d'un carton à chapeau mauve, rempli de papier d'emballage. Saisi d'une subite impulsion, il s'empara du carton pour en examiner le contenu. Son attention fut attirée par le bruit d'un objet lourd qui glissait sous ce tas de papiers. Il souleva les papiers et, au fond du carton à chapeau, il découvrit le trésor qu'il avait cherché durant quinze années : c'était un sac de dame en perles.

Dans un premier mouvement d'avidité, il oublia toute prudence, et, les mains tremblantes, il allait s'emparer du sac. Juste à ce moment-là, il entendit une porte claquer. Il s'imposa alors d'examiner longuement le talon usé d'une vieille chaussure. Son cœur battait à grands coups dans sa poitrine, et, sous l'émotion, la tête lui tournait. Un sac de dame en perles !

Il entendit la porte se refermer. Il cessa de s'intéresser à cette vieille chaussure et, accroupi devant la poubelle, il plongea la main dans le carton à chapeau, pour sentir à nouveau le sac de perles. Il caressa du bout des doigts la surface douce et fraîche de sa précieuse trouvaille, avec la délicatesse d'un séducteur circonspect qui caresse une femme dont il n'est pas sûr. Il examina encore les alentours, et le fond des jardins. Regardant tout autour de lui pour s'assurer que personne ne l'observait. Puis, en un éclair, il s'empara du sac et le fourra dans la poche de son manteau. C'était fait ! Il tenait son trésor !

Avec une nonchalance simulée, il reprit son gros sac sur l'épaule et commença à descendre tranquillement l'allée. Nul ne pouvait supposer qu'il avait trouvé ce jour-là autre chose qu'un carton rempli de vieux papiers, et une vieille chaussure. Mais, dans sa poche, sa main étreignait fortement le sac de perles, comme si seul le contact des perles minuscules et fraîches contre sa paume pouvait le faire croire à la réalité du miracle. Dans sa poche, ses doigts trouvèrent l'ouverture du sac. Il l'ouvrit et glissa ses doigts dedans : contre l'étoffe pelucheuse, il pouvait palper les pièces et les billets dont il était rempli, et il était bien rempli ! Des visions enchanteresses passèrent devant ses yeux, visions de tous les plaisirs qu'allait lui procurer cet argent. Il se voyait déjà vêtu avec élégance, savourant des mets délectables, goûtant enfin au luxe et aux splendeurs de la vie dont il avait rêvé tant d'années.

Avant d'atteindre le bout de l'allée, il se retourna et lança un dernier coup d'œil derrière lui. Et en ce bref instant, tous ses rêves se brisèrent. Debout devant la poubelle miraculeuse se tenait un grand jeune homme, en tenue de chauffeur. Leurs regards se croisèrent, et bien que l'expression du jeune chauffeur soit tout à fait anodine, cela suffit à provoquer la panique dans l'esprit du chiffonnier. En un éclair, il imagina qu'on avait dû s'apercevoir de la disparition du sac de perles ; qu'on avait cherché partout, qu'on avait pensé à la poubelle et envoyé le chauffeur pour essayer de le retrouver. De toute évidence, il allait comprendre que c'était le chiffonnier qui l'avait pris. On allait avertir la police. Et voilà que le monde que le pauvre homme avait toujours redouté allait étendre sur lui ses mains froides et cruelles. Il était devenu un délinquant. Cette seule pensée le rendit fou de terreur ; une sorte de frénésie s'empara de lui, comme un petit animal pris au piège.

Dans son affolement, il lui apparut que la seule possibilité de se sauver encore était de rendre le sac de perles à sa propriétaire. Sans réfléchir davantage, il se pressa de quitter l'allée et tourna le coin de la rue. Il longea le trottoir jusqu'à l'élégante résidence de pierres grises d'où il croyait que le sac provenait. La peur, l'effroi même lui coupaient le souffle, lorsqu'il s'approcha de la grille du portail. Il repéra la sonnette, et appuya d'un coup bref sur le bouton. La porte s'ouvrit au bout d'un instant. Dans le vestibule brillamment éclairé, il aperçut la silhouette d'une jeune femme, vêtue d'un strict ensemble noir et blanc.

Il osait à peine lever les yeux sur son visage, mais il éleva le sac de perles, avec l'humilité d'un prêtre élevant une offrande devant l'autel d'un Dieu courroucé. Il marmonna :

— J'ai trouvé ça dans la poubelle !

La femme de chambre reconnut aussitôt le sac de sa maîtresse. Elle comprit qu'on avait dû le jeter avec le carton à chapeau, qu'elle avait descendu, le matin, de la chambre. Elle n'en craignit pas moins les conséquences de sa négligence, et elle se garderait bien de dire la vérité sur la disparition du sac. Et surtout de quelle façon elle l'avait retrouvé. Elle le rapporta donc dans la chambre de sa maîtresse, qui était en train de s'apprêter pour aller dîner dehors.

— J'ai trouvé votre sac sur le piano, Mrs. Ferrabye, dit-
125 elle simplement.

Sans se détourner de la coiffeuse, où elle était en train d'arranger ses cheveux, la dame répondit simplement :

— Mets-le dans mon tiroir, Hilda.

Quelques minutes plus tard, le coursier d'une maison de
130 couture se présenta *in extremis* avec un grand carton. Hilda le monta dans la chambre de sa maîtresse, le posa sur le lit, et lui tendit la facture, qui s'élevait à plusieurs centaines de dollars. Mrs. Ferrabye ouvrit son sac de perles et en préleva la somme demandée – pratiquement tout ce qu'il contenait
135 – qu'elle tendit à la femme de chambre. Puis elle ouvrit le carton et sortit de son emballage de papier de soie un manteau de soirée, d'un tissu blanc et diaphane, parsemé d'éclats de métal brillant. Elle le tendit un moment sous la lampe et l'observa d'un œil critique. Puis elle le jeta sur son lit. Son
140 beau visage délicat tordu en une grimace de dégoût.

« Franchement, pensa-t-elle, je ne devais pas avoir toute ma tête quand j'ai acheté cette horreur ! Comment ai-je pu penser une minute que je porterais un truc aussi ridicule ! »

Elle retourna à son miroir, et recommença à lisser les
145 boucles dorées de sa chevelure. Elle avait déjà oublié cette petite contrariété, et son visage reprit son expression habituelle, d'autosatisfaction souriante.

Tennessee Williams, « Un sac de dame en perles », dans *Tennessee Williams : Toutes ses nouvelles*, traduit de l'américain par Maurice Pons, Paris, Robert Laffont, 1989, p. 36 à 39.

ꙮ TENNESSEE WILLIAMS – (1911-1983)

L'œuvre de Tennessee Williams, l'un des plus grands dramaturges américains, se fait l'écho de sa triste histoire familiale. Sa sœur Rose, dont il est très proche, est atteinte de schizophrénie. Dans une ultime tentative pour traiter sa maladie, ses parents autorisent une lobotomie : l'opération la laissera handicapée pour le reste de sa vie. Williams ne pardonnera pas à ses parents et coupera tout lien avec sa famille. C'est la figure tragique de Rose qu'on devine sous les traits du personnage de Laura dans *La ménagerie de verre* (1945), son premier grand succès. On peut aussi la reconnaître dans la Blanche Dubois d'*Un tramway nommé désir* (1947), la pièce qui consacre Williams en tant que dramaturge majeur. *La chatte sur un toit brûlant,* en 1955, lui vaut un second prix Pulitzer et confirme son statut. Ces succès à Broadway occultent toutefois une œuvre considérable : Tennessee Williams a publié de la poésie, deux romans et plusieurs recueils de nouvelles. Fragile comme ses personnages, dépressif et alcoolique, il s'est dans toute son œuvre attaché à exprimer « la nécessité de compréhension, de tendresse et de persévérance dans l'infortune chez des individus traqués par les circonstances ».

Tennessee Williams est aussi l'auteur de :
– *Le printemps romain de Mrs. Stone* (roman, 1950)
– *La rose tatouée* (théâtre, 1951)
– *Sucre d'orge* (recueil de nouvelles, 1954)

LA VILLE FRANCHE

DEZSÖ KOSZTOLÁNYI

Première parution : 1933.
Œuvre traduite du hongrois.
Nouvelle fantastique à teneur socio-politique.

— Bref, tu m'accompagnes ? m'a demandé Kornél Esti.

— Avec plaisir ! me suis-je écrié. J'en ai plus qu'assez de toute cette malhonnêteté.

J'ai sauté dans l'avion. Et de vrombir et tournoyer et nous avec.

Un tournoiement tel, dans un tel tourbillon de vitesse, qu'à nos côtés les aigles royaux étaient pris de vertige et les hirondelles de congestion.

Peu de temps après nous avons atterri.

— C'est ici, a dit Esti.

— Ici ? Mais ici, c'est exactement comme là-bas.

— De l'extérieur seulement. De l'intérieur, c'est autre chose.

Et nous sommes entrés dans cette ville et sans presser le pas pour pouvoir tout examiner minutieusement.

Ce qui m'a frappé en premier, c'est que les passants ne se saluaient guère.

— Ici, une personne n'en salue une autre, a expliqué Esti, que si elle a vraiment pour elle autant d'affection que d'estime.

Un mendiant à lunettes noires se tenait accroupi sur l'asphalte. Sur ses genoux, une écuelle en fer-blanc. Sur sa poitrine, un panneau en carton :

Je ne suis pas aveugle. Des lunettes noires, je n'en porte qu'en été.

— Mais pourquoi ce mendiant a-t-il écrit ça ?

— Pour ne pas abuser les personnes charitables.

Sur l'avenue, des magasins tous plus resplendissants les uns que les autres. Dans une vitrine, au fond recouvert de miroirs, j'ai lu :

Chaussures à s'abîmer les pieds. Cors et abcès garantis. Plusieurs de nos clients ont été amputés des deux jambes.

Une image édifiante, en couleurs, montrait deux chirurgiens en train de couper à sa naissance, avec une gigantesque scie en acier, la jambe d'une victime hurlante, dont le sang en ruisselant formait des rubans rouges.

— C'est une plaisanterie ?

— Absolument pas.

— Ah ! C'est un jugement du tribunal alors, qui contraint ce commerçant à se stigmatiser ainsi ?

— Pas le moins du monde, a dit Esti avec un geste méprisant. Ce n'est que la vérité. Comprends-le bien : la vérité. La vérité, ici, personne ne la met sous le boisseau. Plus besoin de rien cacher, dans cette ville, l'autocritique atteint un tel degré.

Nous avons continué, j'allais de stupeur en stupeur.

Au magasin de confection, cette annonce tapageuse :

Vêtements chers et de mauvaise qualité. Prière de marchander, car on vous gruge.

Au restaurant :

Mets immangeables, boissons imbuvables. C'est meilleur chez vous.

À la confiserie :

Gâteaux rassis faits à la margarine et à la poudre d'œuf.

— Ce sont des fous, ces gens-là, ou quoi ? ai-je balbutié. Ou des candidats au suicide ? Ou des saints ?

— Des sages, a répondu péremptoirement Esti. Ils ne mentent jamais.

— Et leur sagesse ne les mène pas à la faillite ?

— Jette un œil dans leurs magasins. Tous noirs de monde. Tous florissants.

— Mais comment est-ce possible ?

— Suis-moi bien. Ici, chacun sait de lui-même, comme de son prochain, qu'il est franc, probe, modeste, qu'il se fait plus petit qu'il n'est plutôt que plus grand, qu'il fixe ses prix plutôt trop bas que trop haut. Ce qui fait que les gens d'ici ne prennent pas entièrement pour argent comptant ce qu'ils entendent ou ce qu'ils lisent, ce que vous non plus ne faites pas chez vous. Entre vous et eux, la seule différence est que chez vous, de ce que les gens affirment, il faut toujours en retrancher, et même en retrancher beaucoup, alors qu'ici, il faut toujours en rajouter, en rajouter un peu. Marchandises et gens ne sont pas, chez vous, aussi excellents qu'on l'assure. Aussi exécrables qu'on l'assure, ici, marchandises et gens ne le sont pas non plus. En réalité, les deux reviennent au même. À mon avis pourtant, cette façon de faire ici est plus modeste, plus probe, plus franche.

À la vitrine d'une librairie, avec leurs bandes-annonces en couleurs, les nouveautés faisaient elles-mêmes leur propre article :

Rogaton illisible… La dernière œuvre du vieil écrivain gâteux, pas un seul exemplaire vendu à ce jour… Les poèmes les plus maniérés, les plus indigestes d'Erwin Râle.

— Incroyable, ai-je fait ahuri. Et on achète ça ?

— Pourquoi diable on ne les achèterait pas ?

— Et on les lit ?

— Chez vous, on ne lit pas de choses de ce genre, peut-être ?

— Tu as raison. Mais au moins, là-bas, la présentation est toute différente.

— Je te le répète : c'est ici la ville de la connaissance de soi. Si quelqu'un a clairement conscience qu'il a le goût mauvais, qu'il aime la rhétorique ronflante, tout ce qui est sans valeur, vide, prétentieux, il achètera les poèmes d'Erwin Râle et il ne pourra pas être déçu, attendu que ces poèmes répondront à ses exigences. Le tout n'est qu'affaire de tactique.

Pris d'étourdissement, j'ai exprimé le désir d'aller dans un café, que je puisse me rafraîchir.

Esti m'a conduit devant un café de mauvais goût orné d'entrelacs dorés qui se donnait lui-même pour *le rendez-vous préféré des escrocs et des parasites* et qui alléchait les clients avec ses *prix inabordables* et ses *garçons désobligeants.*

Je n'ai d'abord pas voulu entrer. Mon ami m'a poussé.

— Je vous souhaite le bonjour, ai-je dit en entrant.

— Pourquoi mens-tu ? m'a reproché Esti. Leur souhaiter le bonjour, mais tout ce que tu souhaites, ici, c'est de boire un bon café, et tu ne le pourras pas, car en cet endroit le café est du faux café, c'est de la chicorée, et sa saveur est celle d'un vernis de seconde qualité. Je voudrais seulement te montrer les journaux.

Il y en avait une multitude. Je ne relèverai ici que *Le Mensonge, L'Intérêt personnel, Le Coup dans le dos* et *Le Mercenaire.*

À la une du *Mercenaire*, en caractères gras, un bandeau à en-tête permanent avisait le public :

Chaque ligne de ce journal est payée. Nous dépendons du gouvernement quel qu'il soit, nous n'écrivons jamais notre propre opinion, sauf quand nous y contraint le plus sordide esprit de lucre. En conséquence, nous avertissons nos lecteurs, pour lesquels, individuellement et collectivement, nous n'avons que profond dédain et mépris, qu'ils n'ont pas à prendre au sérieux nos articles, et qu'ils doivent avoir pour nous autant de mépris et de dédain que nous le méritons, si toutefois c'est humainement possible.

— Magnifique, ai-je dit enthousiasmé. Ça, vois-tu, c'est vraiment quelque chose qui me plaît.

— Ici, la franchise est si générale, a continué mon ami, tout le monde l'exerce au même niveau. Écoute par exemple ces petites annonces – et il s'est mis à lire en divers journaux: *Caissier au casier judiciaire chargé, sorti de prison, cherche emploi… Nourrice névropathe s'offre à garder petits enfants… Professeur de langue parlant français avec accent détestable et désirant s'assimiler prononciation correcte de ses élèves dispose encore de quelques heures libres…*

— Et ces gens-là trouvent un emploi? ai-je dit médusé.

— Naturellement, a répondu Esti.

— Pour quelle raison?

— Pour une raison toute simple, a dit Esti en haussant les épaules, c'est que la vie est comme ça.

Il a montré du doigt un cahier épais qui portait sur sa couverture quelque chose d'imprimé en gris foncé sur gris foncé:

— Voici la meilleure revue littéraire. Elle est très lue.

— Je ne suis même pas capable, moi, de lire son titre.

— Son titre, *L'En-nui*, a scandé Esti.

— Elle est vraiment si ennuyeuse?

— Je ne veux pas t'influencer. Feuillette-la.

J'ai lu quelques articles.

— Eh quoi, ai-je fait avec une moue, elle n'est même pas si ennuyeuse que ça.

— Tu es sévère, a dit Esti en m'arrêtant du geste. Comme quoi aucune attente ne peut être entièrement comblée. Ce qui a mis fin trop vite à la tienne, c'est le titre. Je t'assure que si tu lisais cette revue chez toi, tu la trouverais bien suffisamment ennuyeuse. Tout dépend de quel point de vue on considère les choses.

Sur la place du Parlement, quelqu'un haranguait une foule de plusieurs milliers de personnes :

— Il vous suffit de jeter un regard sur mon front étroit, sur mon visage déformé par une bestiale cupidité, pour voir immédiatement à qui vous avez affaire. Je ne m'y connais en rien au monde, en aucun métier, aucune science, je n'ai d'aptitude pour rien, si ce n'est tout au plus pour vous expliquer le sens de la vie et pour vous guider vers le but. Quel est ce but, je vais vous le révéler. Je veux m'enrichir et vite, je veux ramasser l'argent à la pelle, je veux en avoir le plus que je pourrai et vous en laisser le moins possible. Pour y arriver, je serai obligé de vous abêtir encore plus. Ou vous croyez peut-être que vous êtes déjà assez bêtes comme ça ?

— Non, non, a vociféré la foule indignée.

— Alors décidez-vous selon votre conscience. Le candidat adverse, vous le connaissez tous. C'est un homme désintéressé, à l'âme noble, au cerveau puissant, à l'intelligence rayonnante. Y aura-t-il quelqu'un dans cette ville pour se rallier à lui ?

— Personne ! a hurlé la foule comme un seul homme.

— Il n'y aura personne, et des poings menaçants se dressaient.

L'obscurité était venue.

J'ai flâné dans la nuit. Le ciel noir soudain s'est mis à briller comme si le soleil se levait, plusieurs soleils, tout un système solaire. Des lettres de feu étincelaient :

Crois-le sur parole, ici on te vole.

— Qu'est-ce que c'est ? ai-je demandé à Esti.

— La publicité lumineuse d'une banque, a-t-il dit avec indifférence.

Nous sommes rentrés à la maison tard dans la nuit. Tout ce que j'avais vu d'extraordinaire avait dû m'exténuer. J'avais de la fièvre. J'éternuais et même je toussais. J'ai fait venir un médecin.

— Cher docteur, me suis-je plaint, j'ai pris un peu froid, je me suis enrhumé.

— Enrhumé? s'est affolé le médecin et il a reculé jusqu'à l'angle opposé de la pièce en se couvrant la bouche de son mouchoir. Je vous prierai alors de détourner la tête, même de là où vous êtes, à cinq mètres, vous pouvez me contaminer. J'ai des enfants.

— Vous n'allez pas m'examiner?

— Ce serait superflu. Contre le rhume il n'y a pas de remède. C'est une maladie incurable, comme le cancer.

— Est-ce qu'il ne faudrait pas que je transpire?

— Vous pouvez. Mais ça non plus n'aura aucun effet. D'une façon générale, d'après notre expérience scientifique, si nous soignons le rhume, il peut durer jusqu'à un mois. Si nous ne le soignons pas, il arrive qu'il passe dès le jour suivant.

— Et si je fais une pneumonie?

— Alors vous mourrez, a-t-il déclaré.

Puis après réflexion:

— Frédéric le Grand se promenait un jour sur le champ de bataille, après le combat. Un de ses soldats, mourant, a tout en larmes tendu les bras vers lui. Le roi a fait claquer son fouet en direction du moribond et l'a vivement admonesté: « Misérable, tu veux donc vivre éternellement? » Cette petite anecdote, j'ai l'habitude de la citer à mes malades. Elle est d'une profonde sagesse.

— Effectivement, ai-je répondu. Mais personnellement j'ai mal à la tête. À tel point qu'elle est près d'éclater.

— Affaire personnelle, a dit le médecin. Sans importance. Vous le savez, ce qui est important? Ce qui est important, c'est que moi, en ce moment, je n'aie pas mal à la tête. Et puis, ce qui est plus important encore, c'est que vous allez payer, pour cette visite de nuit, double honoraire. Faites vite, je suis pressé.

Il avait raison. Dès le lendemain j'étais sur pied. Frais et dispos, d'humeur enjouée, je me suis rendu en hâte à l'hôtel de ville afin d'obtenir ma naturalisation, ce qui me permettrait de m'établir dans cette ville franche à titre définitif.

— Je suis infiniment enchanté, ai-je balbutié quand je me suis trouvé en présence du bourgmestre.

— En ce qui me concerne, je ne pourrais pas en dire autant, a dit le bourgmestre froidement.

— Je ne comprends pas, ai-je bredouillé. Je venais justement vous présenter mes devoirs et vous prêter serment de fidélité.

— Le fait que vous ne compreniez pas prouve que vous êtes un fieffé sot. Je vais vous expliquer pourquoi je ne suis pas enchanté. Je ne le suis pas premièrement parce que vous me dérangez, alors que je ne sais même pas qui vous êtes. Je ne le suis pas deuxièmement parce que vous m'importunez avec une affaire publique, alors que tout ce qui m'intéresse, moi, ce sont mes trafics privés. Je ne le suis pas troisièmement parce que vous mentez en disant que vous êtes enchanté, d'où je conclus que vous n'êtes qu'un vil hypocrite, indigne par ce fait de vous joindre à nous. En conséquence, je vous fais expulser.

Dans l'heure suivante, un avion d'expulsion rapide m'a ramené dans la ville que j'avais fuie.

Depuis, c'est ici que s'écoule ma vie. Beaucoup de choses m'étaient plus sympathiques là-bas. Mais je dois avouer qu'ici, c'est quand même mieux. Car si les gens d'ici et ceux de là-bas sont à peu près semblables, à l'avantage de ceux d'ici on pourrait alléguer aussi beaucoup de choses. Entre autres, les mensonges qu'ils se font mutuellement peuvent quelquefois au moins être hauts en couleur, agréables à entendre.

Dezsö Kosztolányi, « La ville franche », dans *Le traducteur cleptomane et autres histoires*, traduit du hongrois par Ádám Péter et Maurice Regnaut, Paris, © Éditions Viviane Hamy, 1994, p. 51 à 58.

Dezsö Kosztolányi – (1885-1936)

« Seul l'impossible mérite réflexion », lance un des personnages créés par le grand auteur hongrois Dezsö Kosztolányi ; cette maxime, il en a fait son *credo* d'écrivain. Après des études à Budapest et à Vienne, Kosztolányi devient journaliste, profession qu'il exercera toute sa vie. Il fait paraître *Entre quatre murs,* son premier recueil de nouvelles, en 1907. L'année suivante, il contribue à la naissance de la revue littéraire *Nyugat,* qui jouera un rôle clé dans l'essor des lettres hongroises. La publication de son recueil de poèmes *Lamentations du pauvre gosse* (1920) fait de Kosztolányi un auteur reconnu. Quatre romans parus au cours des années 1920 – *Néron, le poète sanglant, Alouette, Le cerf-volant d'or* et *Anna la douce* – accroissent sa renommée en Europe. L'homme de lettres se fait également connaître en tant que traducteur : les lecteurs hongrois ont grâce à lui accès aux œuvres de Shakespeare, de Rilke, de Maupassant, de même qu'à *Alice au pays des merveilles,* de Lewis Carroll. Cette profession parallèle se reflète dans le recueil de nouvelles le plus célèbre de Kosztolányi, *Le traducteur cleptomane* (1933). Comme Kafka, son contemporain, Kosztolányi l'ironiste pose sur le monde un regard étrangement objectif, qui montre l'impersonnalité des temps modernes et les absurdités de la misère. Il meurt d'un cancer des gencives en 1936.

Dezsö Kosztolányi est aussi l'auteur de :
- *Entre quatre murs* (recueil de nouvelles, 1907)
- *Lamentations du pauvre gosse* (recueil de poèmes, 1910)
- *Alouette* (roman, 1924)

SOLIDARITÉ

ITALO CALVINO

Première parution : 1943.
Œuvre traduite de l'italien.
Nouvelle réaliste à teneur satirique.

Je m'arrêtai pour les regarder.

C'était comme ça qu'ils travaillaient, la nuit, dans cette rue à l'écart, sur le rideau de fer d'un magasin.

C'était un lourd rideau de fer : ils se servaient d'un levier 5 en métal mais il ne se levait pas.

Je passais là par hasard, seul. Je me mis moi aussi à appuyer sur le levier. Ils me firent place.

On n'allait pas en mesure ; je fis :

— Allez, hop !

10 Mon voisin de droite me donna un coup de coude et me dit doucement :

— Chut ! Tu es fou ! Tu veux qu'on nous entende ?

Je secouai la tête comme pour dire que ça m'avait échappé.

Il nous fallut du temps et nous transpirions, mais à la fin 15 nous avions levé le rideau suffisamment pour qu'on puisse passer. Nous nous sommes regardés, contents. Puis on est entrés. Ils m'ont donné un sac à tenir. Les autres portaient les affaires et les mettaient dedans.

— Pourvu que ces salauds de flics n'arrivent pas! disaient-ils.

— C'est vrai, je répondais. Ce ne sont que des salauds!

— Chut. Tu n'entends pas un bruit de pas? disaient-ils de temps en temps.

Je tendais l'oreille, un peu effrayé.

— Mais non, ce n'est pas eux! je répondais.

— C'est qu'ils arrivent toujours quand on s'y attend le moins! me faisait l'un d'eux.

Moi, je secouais la tête.

— Il faudrait tous les tuer, je disais.

Puis ils me dirent d'aller voir dehors, jusqu'au coin, s'il n'arrivait personne. J'y allai.

Au coin de la rue, dehors, il y en avait qui rasaient les murs, cachés dans les renfoncements, et qui s'avançaient.

Je m'y mis moi aussi.

— Il y a des bruits là-bas, du côté de ces magasins, me dit mon voisin.

Je tendis le cou.

— Rentre la tête, imbécile, s'ils nous voient ils vont nous échapper cette fois encore, murmura-t-il.

— Je regarde… dis-je pour m'excuser en me collant au mur.

— Si nous arrivons à les encercler sans qu'ils s'en aperçoivent, fit un autre, nous les prendrons au piège tous autant qu'ils sont.

Nous avancions par bonds, sur la pointe des pieds, en retenant notre souffle: de temps en temps nous nous regardions l'un l'autre, les yeux brillants.

— Ils ne nous échapperont plus, dis-je.

— On va enfin arriver à les prendre la main dans le sac, fit l'un d'eux.

— Il était temps, dis-je.

— Ces bâtards de délinquants, dévaliser comme ça les magasins! dit l'autre.

— Ces bâtards ! Ces bâtards ! répétai-je, avec rage.

55 Ils m'envoyèrent un peu en avant, pour voir. J'arrivai à l'intérieur du magasin.

— Désormais, disait quelqu'un se mettant un sac sur le dos, ils ne peuvent plus nous attraper.

— Vite, dit un autre, tirons-nous par l'arrière-boutique!
60 Comme ça nous leur filons sous le nez.

Nous avions tous un sourire de triomphe sur les lèvres.

— Ils seront chocolat, dis-je.

Et on s'esquiva dans l'arrière-boutique.

— Encore une fois nous les avons bien pigeonnés,
65 disaient-ils.

Sur ce, on entendit:

— Halte-là, qui va là?

Et les lumières s'allumèrent. Nous nous cachâmes dans un coin, tout pâles, et nous nous prîmes par le bras. Les autres
70 entrèrent aussi, ils ne nous virent pas, et ils retournèrent en arrière. Nous nous élançâmes dehors et nous prîmes la fuite à toutes jambes.

— Nous les avons eus! nous criâmes.

Je trébuchai deux ou trois fois et je restai en arrière. Je me
75 retrouvai au milieu des autres qui couraient eux aussi.

— Fonce, me dirent-ils, on va les rejoindre.

Et on galopait tous par les petites rues, en les poursuivant. «Viens par ici», «Coupe par là», se disait-on, et les autres nous devançaient désormais de peu, et on criait: «Vite, qu'ils
80 ne nous échappent pas!»

Je réussis à en talonner un qui me dit:

— Bravo, t'as réussi à t'échapper. Vite, par là, ils vont perdre nos traces!

Et moi, je me mis dans son sillage. Peu d'instants après,
85 je me trouvais seul, dans une ruelle. Un autre arriva près de moi en tournant le coin de la rue et me dit en courant:

— Vite, par là, je viens de les voir, ils ne peuvent pas être très loin.

Je courus un peu derrière lui.

90 Puis je m'arrêtai, tout en nage. Il n'y avait plus personne, on n'entendait plus de cris. Je remis les mains dans mes poches et je recommençai à me promener, seul, au hasard.

Italo Calvino, « Solidarité », dans *La grande bonace des Antilles*, traduit de l'italien par Jean-Paul Manganaro, Paris, Éditions du Seuil, 1995, p. 28 à 30.

ȣ ITALO CALVINO – (1923-1985)

Italo Calvino, l'un des grands écrivains italiens du XXe siècle, amorce sa carrière littéraire avec *Le sentier des nids d'araignées* (1947), le récit de son expérience de résistant au cours de la guerre. On y perçoit déjà, malgré le sujet et la manière réaliste, la dimension fabuleuse qui caractérisera son œuvre à venir. Calvino laisse ensuite libre cours à son inclination pour le conte fantastique dans *Le vicomte pourfendu* (1952), *Le baron perché* (1957) et *Le chevalier inexistant* (1959), qui forment la trilogie *Nos ancêtres*. Il s'installe à Paris au milieu des années 1960 et devient membre de l'Oulipo, un laboratoire de savants auteurs qui écrivent en se soumettant à diverses contraintes formelles. Dans cet esprit, Calvino échafaude notamment *Les villes invisibles* (1972), un voyage poétique dans cinquante-cinq villes imaginaires. L'écrivain Salman Rushdie a remarquablement décrit la prose divinatrice de Calvino : « Calvino a le pouvoir de percer les recoins les plus impénétrables de l'esprit humain et d'en révéler les rêves. En lisant Calvino, on est constamment frappé par l'idée qu'il écrit ce que l'on a toujours su, sauf qu'on n'y a jamais pensé. »

Italo Calvino est aussi l'auteur de :
- *Cosmicomics* (recueil de nouvelles, 1965)
- *Si par une nuit d'hiver un voyageur...* (roman, 1979)
- *La Machine littérature* (essais, 1984)

Un bonbon pour une bonne petite

Robert Bloch

Première parution : 1947.
Œuvre traduite de l'américain.
Nouvelle fantastique.

Avec ses traits menus et réguliers, son teint de lis et de rose, ses yeux bleus, ses cheveux blond cendré, Irma ne ressemblait en rien à une sorcière.

De plus, elle n'avait que huit ans.

5 « Pourquoi la taquine-t-il ainsi ? dit Miss Pall d'une voix entrecoupée de sanglots. C'est pour ça qu'elle s'est mis cette idée dans la tête – parce qu'il la traite tout le temps de petite sorcière. »

Sam Steever se carra dans son fauteuil de bureau aux ressorts fatigués, et croisa ses lourdes mains sur ses genoux, que 10 surplombait une panse respectable. En bon avoué qu'il était, il gardait un visage impassible, mais, en fait, il se sentait fort mal à l'aise.

Des femmes comme Miss Pall ne devraient jamais sangloter, songeait-il. Leurs lunettes tressautent, leur nez se 15 fronce, leurs paupières ridées rougissent, leurs cheveux raides s'ébouriffent.

— Je vous en prie, calmez-vous, mademoiselle, déclara-t-il d'un ton apaisant. Si nous pouvions discuter cette affaire sans passion…

— Ça m'est égal ! s'exclama Miss Pall en reniflant. Je ne reviendrai pas dans cette maison. Je ne peux plus supporter cet état de choses. D'ailleurs, je ne peux rien faire. Mr John Steever est votre frère, et Irma est sa fille. Moi, je dégage ma responsabilité. J'ai essayé…

— Bien sûr, bien sûr, dit Sam Steever en arborant un sourire rassurant, comme si Miss Pall eût été président de jury. Je comprends tout cela, chère mademoiselle, mais je ne vois pas pourquoi vous êtes bouleversée à ce point.

Miss Pall ôta ses lunettes et se tamponna les yeux avec un mouchoir parsemé de fleurs. Puis elle plaça la boule de toile humide dans son sac qu'elle referma avec un bruit sec, remit ses lunettes et se redressa sur son siège.

— Très bien, monsieur Steever, déclara-t-elle. Je vais faire de mon mieux pour vous exposer les motifs qui me poussent à quitter le service de votre frère. Elle réprima un reniflement attardé. Comme vous le savez, je me suis présentée chez Mr John il y a deux ans, sur la foi d'une annonce demandant une femme de charge. Quand je m'aperçus que je devais être la gouvernante d'une petite fille de six ans, orpheline de sa mère, je me trouvai dans un extrême embarras car j'ignore tout de la façon dont on élève les enfants.

— John avait eu une nurse jusqu'alors. Vous n'ignorez pas que la mère d'Irma est morte en couches.

— Je ne l'ignore pas, en effet, répliqua Miss Pall d'un air pincé. Naturellement, on se prend d'affection et de pitié pour une fillette livrée à elle-même. Vous ne sauriez imaginer combien cette pauvre petite était seule, monsieur Steever ! Si vous l'aviez vue en train de languir dans cette grande maison si vieille et si laide !…

— Je l'ai vue, mademoiselle, se hâta de dire Sam Steever, dans l'espoir de prévenir une autre crise de sanglots. Et je sais ce que vous avez fait pour elle. Mon frère est enclin à l'indifférence, parfois même à l'égoïsme. Il y a des choses dont il n'a pas conscience.

— Il est cruel! s'exclama Miss Pall avec une brusque véhémence. Cruel et pervers. Il a beau être votre frère, ça ne m'empêchera pas d'affirmer que c'est un père indigne. Quand je suis arrivée chez lui, la petite avait les bras pleins de bleus. Il prenait une ceinture et…

— Mais oui, mais oui… Voyez-vous, Miss, je crois que John ne s'est jamais remis de la mort de sa femme. C'est pourquoi j'ai été très heureux de votre arrivée chez lui. J'espérais que vous arrangeriez la situation.

— J'ai essayé, dit Miss Pall en pleurnichant. Vous savez bien que j'ai fait tout mon possible. Pendant deux ans, je n'ai jamais levé la main sur cette petite, quoique votre frère m'ait souvent invitée à la punir. « Flanquez donc une raclée à cette petite sorcière, me disait-il, ça lui fera le plus grand bien. » Alors, la pauvre enfant se cachait derrière moi et me demandait à voix basse de la protéger. Mais elle ne pleurait pas, monsieur Steever. En vérité, je ne l'ai jamais vue pleurer.

Sam Steever sentait naître en lui une vague irritation. Cette entrée en matière l'ennuyait prodigieusement, et il souhaitait que la vieille pie en arrivât au but de sa visite sans plus attendre. En conséquence, il lui adressa un sourire tout sucre et tout miel, et lui dit:

— Mais quel est au juste le problème qui vous tourmente, chère Miss?

— Au début, tout a très bien marché. Irma et moi, nous nous sommes entendues à merveille. J'ai voulu lui apprendre à lire, mais je me suis aperçue avec étonnement qu'elle savait déjà. Votre frère affirmait ne lui avoir jamais rien enseigné, et pourtant elle passait des heures pelotonnée sur le divan, plongée dans un livre. « Ça lui ressemble bien, disait-il. Cette petite sorcière n'est pas normale. Elle ne joue jamais avec les autres enfants. Fichue petite sorcière ! » Voilà ce qu'il répétait sans arrêt, monsieur Steever. Comme s'il avait parlé d'une espèce de… je ne sais quoi. Alors qu'Irma est si douce, si sage, si jolie !

— Ça n'avait rien d'étonnant qu'elle aime la lecture. Moi-même j'étais comme elle dans mon enfance, parce que… mais peu importe.

— N'empêche que ça m'a donné un coup le jour où je l'ai trouvée avec un volume de l'*Encyclopædia Britannica* sous les yeux. « Qu'est-ce que tu es en train de lire, Irma ? » lui ai-je demandé. Elle me l'a fait voir : c'était l'article sur la sorcellerie. Cela vous montre quelles pensées morbides votre frère a inculquées dans l'esprit de cette pauvre enfant.

Une fois encore, j'ai fait de mon mieux. Je lui ai acheté des jouets : elle n'en avait pas un seul, pas même une poupée ! Figurez-vous, monsieur, qu'elle ne savait pas jouer ! J'ai essayé de la mettre en rapport avec des fillettes du voisinage, mais ça n'a rien donné de bon. Elles ne la comprenaient pas, et Irma ne les comprenait pas. Il y a eu des scènes pénibles. Les enfants peuvent être cruels à l'occasion. Et son père ne voulait pas l'envoyer à l'école. C'est moi qui devais l'instruire.

Alors, je lui ai apporté de la pâte à modeler, et ça lui a beaucoup plu. Elle passait des heures entières à façonner des visages. Pour une enfant de son âge, elle avait vraiment du talent. Nous faisions ensemble de petites poupées pour lesquelles je cousais des vêtements.

Cette première année m'a apporté bien des satisfactions, monsieur Steever. Surtout pendant les mois que votre frère a passés en Amérique du Sud ; mais, cette année, dès qu'il a été de retour… oh, je ne peux même pas en parler !

— Chère Miss, vous devez essayer de comprendre. John n'est pas un homme heureux : la mort de sa femme, le ralentissement de ses affaires d'importation, son penchant pour l'alcool… mais vous savez tout cela.

— Tout ce que je sais, c'est qu'il déteste Irma, répliqua Miss Pall d'un ton sec. Il la hait. Il veut qu'elle fasse des sottises afin d'avoir l'occasion de la fouetter. « Si vous ne voulez pas dresser cette petite sorcière, je m'en charge », me dit-il toujours. Après quoi, il la fait monter dans sa chambre et la frappe à coups de ceinture. Il faut que vous fassiez quelque chose, monsieur Steever ; sans quoi j'irai moi-même avertir les autorités.

La vieille folle en est bien capable, songea Sam Steever. Et, recourant une fois de plus à son sourire tout sucre et tout miel, il demanda :

— Mais que devient Irma, chère Miss ?

— Elle a beaucoup changé depuis le retour de son père. Elle refuse de jouer avec moi. Elle feint d'ignorer ma présence. On dirait qu'elle m'en veut de ne pas réussir à la protéger contre cet homme. De plus, elle se prend pour une sorcière.

Cinglée ! Complètement cinglée !… Sam Steever se redressa dans son fauteuil dont les ressorts grincèrent plaintivement.

— Ce n'est pas la peine de me regarder comme ça, monsieur Steever. Elle vous le dirait elle-même si vous veniez de temps en temps à la maison.

Ayant discerné dans sa voix un ton de reproche, il fit un signe de tête repentant.

— En ce qui me concerne, monsieur Steever, elle me l'a dit tout net : puisque son père le veut, elle sera une sorcière. Et elle refuse de jouer avec moi ou avec n'importe qui d'autre, parce que les sorcières ne jouent pas. La veille de la Toussaint,

elle m'a demandé de lui donner un manche à balai. Oh, ce
150 serait drôle si ce n'était pas si dramatique : cette enfant est
en train de perdre la raison.

Un dimanche, il y a quelques semaines, elle m'a priée de
l'emmener à l'église parce qu'elle voulait assister à une céré-
monie de baptême. Vous vous rendez compte, monsieur
155 Steever ? Une enfant de huit ans qui s'intéresse au baptême !
Tout ça parce qu'elle lit beaucoup trop.

Bref, nous sommes allées à l'église. Elle était ravissante
avec sa robe bleue, et elle a été sage comme une image.
Vraiment, monsieur Steever, j'étais très fière d'elle.

160 Mais, après ça elle est rentrée dans sa coquille. Elle a
recommencé à lire des heures durant, à courir dans la cour
au crépuscule et à se parler à voix basse.

Peut-être parce que votre frère a refusé de lui donner un
petit chat. Elle voulait à toute force avoir un chat noir, et
165 lorsqu'il lui a demandé pourquoi, elle lui a répondu que les
sorcières étaient toujours accompagnées d'un chat noir. Là-
dessus, il l'a fait monter dans sa chambre.

Je ne peux rien y faire, bien sûr. Il l'a encore battue le
jour où nous avons eu une panne d'électricité et où nous
170 n'avons pas pu trouver les bougies. Vous vous rendez
compte, monsieur Steever ? accuser une enfant de huit ans
d'avoir volé des bougies !

Ç'a été le commencement de la fin. Aujourd'hui, quand
il s'est aperçu de la disparition de sa brosse à cheveux...

175 — Irma la lui avait volée ?

— Oui, elle l'a reconnu. Elle a déclaré qu'elle en avait
eu besoin pour sa poupée.

— Mais vous m'avez dit qu'elle n'avait pas de poupée,
ce me semble.

180 — Elle s'en est fait une. Du moins, je le pense, car elle
ne veut plus rien nous montrer ; de même qu'elle ne nous
adresse plus jamais la parole à table...

En tout cas, cette poupée doit être très petite, car, parfois, elle la porte cachée sous son bras. Elle lui parle et elle
185 la caresse, mais refuse obstinément de nous la laisser voir.

Quand elle a avoué à votre frère qu'elle avait pris sa brosse à cheveux pour la poupée, il s'est mis dans une colère folle (il avait bu toute la matinée, enfermé dans sa chambre) ; mais elle s'est contentée de lui dire en souriant qu'elle n'en
190 avait plus besoin et qu'elle allait la lui rendre. Elle est allée la chercher sur sa commode et la lui a tendue. Elle ne l'avait pas du tout abîmée, et il y avait encore, accrochés aux poils, quelques cheveux de son père.

Mais il la lui a arrachée des doigts et lui en a donné de
195 grands coups sur les épaules ; après quoi, il lui a tordu le bras et…

Miss Pall se recroquevilla dans son fauteuil, tandis que de gros sanglots secouaient sa frêle poitrine.

Sam Steever lui tapota le dos et s'empressa auprès d'elle
200 – tel un éléphant auprès d'un canari mal en point.

— C'est tout, monsieur Steever, conclut-elle. Je suis venue vous trouver pour vous dire que je ne retournerai jamais chez votre frère. Je ne peux plus supporter la façon dont il bat la petite… et sa façon à elle de ricaner d'un air
205 moqueur au lieu de pleurer!... Au point qu'il m'arrive de croire qu'Irma est bel et bien une sorcière… que votre frère en a fait une sorcière…

Sam Steever décrocha le téléphone, dont la sonnerie avait rompu le silence bienfaisant de la pièce après le départ
210 brusqué de Miss Pall.

— Allô, c'est toi, Sam ?

Il reconnut la voix de son frère, un peu empâtée par l'ivresse.

— Oui, John.

— Je suppose que la vieille chauve-souris est allée te voir pour déblatérer contre moi ?

— Si tu fais allusion à Miss Pall, je reconnais qu'elle sort d'ici.

— N'accorde pas la moindre attention à ce qu'elle t'a raconté. Je peux tout t'expliquer.

— Veux-tu que j'aille chez toi ? Il y a des mois que je ne t'ai pas rendu visite.

— Ma foi, pas aujourd'hui. J'ai rendez-vous ce soir avec mon médecin.

— Ça ne va pas ?

— J'ai une douleur au bras. Je suppose que c'est du rhumatisme. Je vais essayer des séances de diathermie. Mais je te rappellerai, et nous tirerons au clair cette sale affaire.

— D'accord.

John Steever n'ayant pas téléphoné le lendemain, Sam l'appela vers l'heure du dîner.

Chose curieuse, ce fut la petite voix aiguë d'Irma qui lui répondit.

— Papa est là-haut dans sa chambre. Il dort. Il vient d'être malade.

— Dans ce cas, ne le dérange pas. Il souffre toujours de son bras ?

— Non, maintenant c'est son dos. Il faudra qu'il retourne chez son médecin dans quelque temps.

— Bon. Dis-lui que j'irai le voir demain. Et à part ça, Irma, heu… tout va bien ? Tu ne regrettes pas trop Miss Pall ?

— Non, je suis contente de son départ. Elle est idiote.

— Ah oui, je vois… Téléphone-moi si tu as besoin de quelque chose. J'espère que ton papa va aller mieux.

— Moi aussi, répondit Irma.

Après quoi, elle eut un petit rire moqueur et raccrocha.

Le lendemain, dans l'après-midi, John Steever appela son frère à son étude.

— Sam, dit-il d'une voix empreinte de souffrance, pour l'amour du Ciel, viens tout de suite. Il m'arrive quelque chose d'affreux!

— Quoi donc?

— Je sens une douleur... qui me tue! Il faut que je te voie le plus tôt possible.

— J'ai un client à recevoir, mais je vais l'expédier en cinq minutes. En attendant, pourquoi ne fais-tu pas venir ton médecin?

— Ce charlatan ne peut m'être d'aucun secours. Il m'a déjà fait deux séances de diathermie, avant-hier pour mon bras, hier pour mon dos.

— Et ça ne t'a rien fait?

— Je me suis senti soulagé sur le moment, mais, à présent, la douleur est revenue: j'ai l'impression d'avoir la poitrine serrée dans un étau; j'ai du mal à respirer.

— Ce doit être une pleurésie. Qu'en pense ton médecin?

— Il m'a ausculté soigneusement, et il affirme que ce n'est pas une pleurésie. Tous mes organes sont en parfait état... Naturellement, je n'ai pas pu lui révéler la cause réelle du mal.

— La cause réelle?

— Mais oui: les épingles; les épingles que cette petite diablesse enfonce dans la poupée qu'elle a fabriquée. D'abord dans le bras, puis dans le dos. Et maintenant, Dieu seul sait comment elle s'y prend pour m'infliger cette douleur épouvantable.

— John, il ne faut pas...

— Oh, à quoi bon tous ces discours? Je suis cloué dans mon lit. Elle me possède maintenant. Je ne peux pas descendre l'empêcher de continuer sa maudite besogne en lui prenant la poupée. Et personne d'autre que toi ne voudrait me croire. Pourtant, c'est bel et bien la poupée qui est cause de tout: cette poupée qu'elle a fabriquée avec la cire des bougies et les cheveux de ma brosse. Oh, la sale petite sorcière!... Ce que ça me fait mal de parler! Dépêche-toi, Sam... Promets-moi de faire quelque chose... n'importe quoi... Arrache-lui cette poupée... cette fichue poupée...

Trente minutes plus tard, à quatre heures et demie, Sam Steever arrivait devant la maison de son frère.

Irma ouvrit la porte.

Sam fut tout saisi en la voyant sur le seuil, calme et souriante. Avec ses cheveux blond cendré impeccablement brossés en arrière et son visage ovale aux joues roses, elle ressemblait beaucoup à une poupée... à une petite poupée...

— Tiens, bonjour, oncle Sam.

— Bonjour, Irma. Ton papa m'a demandé de venir le voir, tu es au courant, je suppose? Il ne se sentait pas très bien et...

— Oui, je sais. Mais à présent, il va beaucoup mieux. Il dort.

Sam Steever eut l'impression qu'une goutte d'eau glacée roulait le long de sa colonne vertébrale.

— Tu dis qu'il dort? murmura-t-il d'une voix étranglée. Où ça? Là-haut?

Sans laisser à la fillette le temps de répondre, il monta l'escalier quatre à quatre jusqu'au second étage, puis gagna à grands pas la chambre de son frère.

John Steever, couché sur son lit, dormait paisiblement. Il respirait de façon régulière, et son visage était parfaitement détendu.

Sam sourit de la frayeur qu'il avait éprouvée, murmura: «Je suis stupide!» et sortit de la chambre.

Tout en descendant l'escalier, il se mit à échafauder des projets: six mois de repos pour son frère (en évitant soigneusement d'appeler cela «une cure»); pour Irma, un séjour dans un pensionnat, qui permettrait à la fillette d'échapper à l'atmosphère morbide de cette maison, à l'influence pernicieuse de tous ces livres…

Parvenu à mi-étage, il s'arrêta, et, regardant par-dessus la rampe, il vit, dans la pénombre, la fillette pelotonnée sur le divan comme une petite boule blanche. Elle parlait à un objet indiscernable qu'elle berçait dans ses bras.

Donc, il y avait bel et bien une poupée dans cette affaire.

Sam descendit les dernières marches sur la pointe des pieds et s'approcha furtivement de sa nièce.

« Tiens, te voilà », dit-il.

Elle sursauta violemment, souleva ses deux bras de façon à dissimuler l'objet qu'elle avait caressé jusqu'alors, et l'étreignit de toutes ses forces.

Dans l'esprit de Sam Steever surgit l'image d'une poupée dont on comprimait la poitrine.

Irma tourna vers son oncle un visage empreint d'innocence, qui, dans la pénombre, ressemblait étrangement à un masque : le masque d'une petite fille, recouvrant… quoi donc ?

— Papa va mieux à présent, n'est-ce pas ? dit-elle.

— Oui, beaucoup mieux.

— Je le savais.

— Mais je crois qu'il va être obligé de quitter la maison pour prendre du repos – un long repos.

Un léger sourire filtra à travers le masque.

— Très bien, dit la fillette.

— Naturellement, tu ne resterais pas ici toute seule. Peut-être pourrions-nous t'envoyer dans une école… un pensionnat.

— Oh, tu n'as pas besoin de t'inquiéter à mon sujet, déclara-t-elle en riant.

Sam ayant pris place sur le divan, elle s'écarta de lui ; puis, comme il tentait de se rapprocher, elle se dressa d'un bond.

Ce faisant, elle releva les bras, et Sam Steever vit deux jambes minuscules pendiller sous un de ses coudes. Elles étaient revêtues d'un pantalon d'homme, et avaient à leur extrémité deux petits bouts de cuir en guise de souliers.

— C'est une poupée que tu as là, Irma? demanda Sam en tendant sa main potelée avec une prudente lenteur.

La fillette se rejeta en arrière.

— Tu ne la verras pas, déclara-t-elle. C'est défendu.

— Mais je voudrais bien la voir, Irma. Miss Pall m'a dit que tu en faisais de très jolies.

— Miss Pall est stupide, et toi aussi. Va-t'en.

— Je t'en prie, Irma, laisse-moi la voir.

Au moment même où il prononçait ces mots, il aperçut la tête de la poupée, qu'Irma avait décelée en reculant. Car c'était bel et bien une tête, avec des mèches de cheveux surmontant un visage blême. L'ombre croissante estompait les traits, mais Sam reconnut les yeux, le nez, le menton…

Il ne put continuer à feindre.

« Donne-moi cette poupée, Irma! ordonna-t-il d'un ton sec. Je sais ce qu'elle est. Je sais qu'elle représente… »

L'espace d'un instant, le masque d'innocence se détacha du visage de la fillette, et Sam vit devant lui la grimace d'une terreur panique.

Puis, tout aussitôt, le masque fut remis en place, et Irma redevint une charmante petite fille, un peu gâtée, qui secouait gaiement la tête, tandis qu'une lueur espiègle dansait dans ses yeux.

— Oh, oncle Sam, dit-elle en riant, ce que tu es nigaud! Ça n'est pas une vraie poupée!

— Et qu'est-ce que c'est alors?

Irma rit de plus belle, en tendant à bout de bras l'objet qu'elle avait si bien caché.

— Du sucre d'orge, voilà tout! dit-elle.

— Du sucre d'orge?

Irma fit un signe de tête affirmatif; puis, d'un geste rapide, elle fourra la tête minuscule dans sa bouche, et la détacha d'un coup de dent.

385 Un cri perçant retentit au second étage. Un seul cri, suivi d'un affreux silence.

Pendant que Sam Steever faisait vivement demi-tour et grimpait l'escalier en courant, la petite Irma, sans cesser de mâchonner avec application, franchit le seuil de la porte d'en-
390 trée et s'éloigna en sautillant dans les ténèbres.

Robert Bloch, « Un bonbon pour une bonne petite », dans *La grande anthologie du fantastique*, traduit de l'américain par Jacques Papy, Paris, Omnibus, 1997, p. 664 à 673.

Robert Bloch – (1917-1994)

Robert Bloch a huit ans lorsqu'il découvre l'horreur : au cinéma, il assiste au terrifiant *Fantôme de l'Opéra.* Il se passionne bientôt pour *Weird Tales*, une revue de récits d'épouvante et de science-fiction, et amorce une correspondance avec l'un de ses auteurs, H.P. Lovecraft, un des maîtres de la littérature fantastique et d'épouvante aux États-Unis. Fort des encouragements de Lovecraft, Bloch publie ses premières histoires à dix-sept ans. C'est le début d'une carrière prolifique : Bloch signera plus de deux cents nouvelles, vingt-deux romans et des dizaines de scénarios pour la télévision et le cinéma. Son roman le plus célèbre raconte l'histoire d'un inquiétant solitaire qui vit avec sa mère dans le motel familial... Alfred Hitchcock tirera de *Psychose* (1959) l'un de ses meilleurs films et Robert Bloch sera dès lors connu comme « l'homme qui a écrit *Psychose* ».

Robert Bloch est aussi l'auteur de :

– *L'écharpe* (roman, 1947)

– *Parlez-moi d'horreur* (recueil de nouvelles, 1973)

– *La nuit de l'éventreur* (roman, 1984)

COUP DE GIGOT

ROALD DAHL

Première parution : 1953.
Œuvre traduite de l'anglais.
Nouvelle policière.

Dans ses rideaux tirés, la chambre était chaude et propre. Les deux lampes éclairaient deux fauteuils qui se faisaient face et dont l'un était vide. Sur le buffet, il y avait deux grands verres, du whisky, de l'eau gazeuse et un seau plein de cubes de glace.

Mary Maloney attendait le retour de son mari.

Elle regardait souvent la pendule, mais elle le faisait sans anxiété. Uniquement pour le plaisir de voir approcher la minute de son arrivée. Son visage souriait. Chacun de ses gestes paraissait plein de sérénité. Penchée sur son ouvrage, elle était d'un calme étonnant. Son teint – car c'était le sixième mois de sa grossesse – était devenu merveilleusement transparent, les lèvres étaient douces et les yeux au regard placide semblaient plus grands et plus sombres que jamais.

À cinq heures moins cinq, elle se mit à écouter plus attentivement et, au bout de quelques instants, exactement comme tous les jours, elle entendit le bruit des roues sur le gravier. La porte de la voiture claqua, les pas résonnèrent

sous la fenêtre, la clef tourna dans la serrure. Elle posa son
20 ouvrage, se leva et alla au-devant de lui pour l'embrasser.

— Bonjour, chéri, dit-elle.

— Bonjour, répondit-il.

Elle lui prit son pardessus et le rangea. Puis elle passa dans la chambre et prépara les whiskies, un fort pour lui, un
25 faible pour elle-même. De retour dans son fauteuil, elle se remit à coudre tandis que lui, dans l'autre fauteuil, tenait son verre à deux mains, le secouant en faisant tinter les petits cubes de glace contre la paroi.

Pour elle, c'était toujours un moment heureux de la
30 journée. Elle savait qu'il n'aimait pas beaucoup parler avant d'avoir fini son premier verre. Elle-même se contentait de rester tranquille, se réjouissant de sa compagnie après les longues heures de solitude.

La présence de cet homme était pour elle comme un bain
35 de soleil. Elle aimait par-dessus tout sa mâle chaleur, sa façon nonchalante de se tenir sur sa chaise, sa façon de pousser une porte, de traverser une pièce à grands pas. Elle aimait sentir se poser sur elle son regard grave et lointain, elle aimait la courbe amusante de sa bouche et surtout cette
40 façon de ne pas se plaindre de sa fatigue, de demeurer silencieux, le verre à la main.

— Fatigué, chéri ?

— Oui, dit-il. Je suis fatigué. Puis il fit une chose inhabituelle. Il leva son verre à moitié plein et avala tout le
45 contenu. Elle ne l'épiait pas réellement, mais le bruit des cubes de glace retombant au fond du verre vide retint son attention. Au bout de quelques secondes, il se leva pour aller se verser un autre whisky.

— Ne bouge pas, j'y vais ! s'écria-t-elle en sautant sur
50 ses pieds.

— Rassieds-toi, dit-il.

Lorsqu'il revint, elle remarqua que son second whisky était couleur d'ambre foncé.

— Chéri, veux-tu que j'aille chercher tes pantoufles ?

— Non.

Il se mit à siroter son whisky. Le liquide était si fortement alcoolisé qu'elle put y voir monter les petites bulles huileuses.

« C'est tout de même scandaleux, dit-elle, qu'un policier de ton rang soit obligé de rester debout toute la journée. »

Comme il ne répondait pas, elle baissa la tête et se remit à coudre. Mais chaque fois qu'il buvait une gorgée, elle entendait le tintement des cubes de glace contre la paroi du verre.

— Chéri, dit-elle, veux-tu un peu de fromage ? Je n'ai pas préparé de dîner puisque c'est jeudi.

— Non, dit-il.

— Si tu es trop fatigué pour dîner dehors, reprit-elle, il n'est pas trop tard. Il y a de la viande dans le réfrigérateur. Tu pourrais manger ici-même, sans quitter ton fauteuil.

Ses yeux attendirent une réponse, un sourire, un petit signe quelconque, mais il demeura inflexible.

— De toute façon, dit-elle, je vais commencer par t'apporter du fromage et des gâteaux secs.

— Je n'y tiens pas, dit-il.

Elle s'agita dans son fauteuil, ses grands yeux toujours posés sur lui. « Mais tu *dois* dîner. Je peux tout préparer ici. Je serai très contente de le faire. Nous pourrions manger du rôti d'agneau. Ou du porc. Ce que tu voudras. Tout est dans le réfrigérateur.

— N'y pense plus, dit-il.

— Mais chéri, il *faut* que tu manges ! Je vais préparer le dîner et puis tu mangeras ou tu ne mangeras pas, ce sera comme tu voudras. »

85 Elle se leva et posa son ouvrage sur la table, près de la lampe.

« Assieds-toi, dit-il. J'en ai pour une minute. Assieds-toi. »

C'est alors seulement qu'elle commença à s'inquiéter.

« Assieds-toi », répéta-t-il.

90 Elle se laissa retomber lentement dans son fauteuil, ses grands yeux étonnés toujours fixés sur lui. Il avait fini son second whisky et regardait le fond de son verre vide en fronçant les sourcils.

— Écoute, dit-il. J'ai quelque chose à te dire.

95 — Quoi donc, chéri ? Qu'y a-t-il ?

À présent, il se tenait absolument immobile, la tête penchée en avant. La lampe éclairait la partie supérieure de son visage, laissant la bouche et le menton dans l'ombre. Elle remarqua le frémissement d'un petit muscle, près du

100 coin de son œil gauche.

« Je crains que cela te fasse un petit choc, dit-il. Mais j'ai longuement réfléchi pour conclure que, la seule chose à faire, c'était de te dire la vérité. J'espère que tu ne me blâmeras pas trop. »

105 Et il lui dit ce qu'il avait à lui dire. Ce ne fut pas long. Quatre ou cinq minutes au plus. Pendant son récit, elle demeura assise. Saisie d'une sourde horreur, elle le vit s'éloigner un peu plus à chaque mot qu'il prononçait.

« Voilà, c'est ainsi, conclut-il. Et je sais que je te fais passer

110 un mauvais moment, mais il n'y avait pas d'autre solution. Naturellement, je te donnerai de l'argent et je ferai le nécessaire pour que tu ne manques de rien. Inutile de faire des histoires. J'espère qu'il n'y en aura pas. Ça ne faciliterait pas ma tâche. »

115 Sa première réaction était de ne pas y croire. Tout cela ne pouvait être vrai. Il n'avait rien dit de tout cela. C'est elle

qui avait dû tout imaginer. Peut-être, en refusant d'y croire, en faisant semblant de n'avoir rien entendu, se réveillerait-elle de ce cauchemar et tout rentrerait dans l'ordre.

120 Elle eut la force de dire: «Je vais préparer le dîner.» Et cette fois, il ne la retint pas.

En traversant la pièce, elle eut l'impression que ses pieds ne touchaient pas le sol. Elle ne ressentit rien, rien excepté une légère nausée. Tout était devenu automatique. Les 125 marches qui la conduisaient à la cave. L'électricité. Le réfrigérateur. Sa main qui y plongea pour attraper l'objet le plus proche. Elle le sortit, le regarda. Il était enveloppé. Elle retira le papier.

C'était un gigot d'agneau.

130 Bien. Il y aurait du gigot pour dîner. Tenant à deux mains le bout de l'os, elle remonta les marches. Et lorsqu'elle traversa la salle de séjour, elle aperçut son mari, de dos, debout devant la fenêtre. Elle s'arrêta.

«Pour l'amour de Dieu, dit-il sans se retourner, ne pré-135 pare rien pour moi. Je sors.»

Alors, Mary Maloney fit simplement quelques pas vers lui et, sans attendre, elle leva le gros gigot aussi haut qu'elle put au-dessus du crâne de son mari, puis cogna de toutes ses forces. Elle aurait pu aussi bien l'assommer d'un coup de massue.

140 Elle recula. Il demeura miraculeusement debout pendant quelques secondes, en titubant un peu. Puis il s'écroula sur le tapis.

Dans sa chute qui fut violente, il entraîna un guéridon. Le tintamarre aida Mary Maloney à sortir de son état 145 de demi-inconscience, à reprendre contact avec la réalité. Étonnée et frissonnante, serrant toujours de ses deux mains son ridicule gigot, elle contempla le corps.

«Ça y est, se dit-elle. Je l'ai tué.»

Son esprit était devenu soudain extraordinairement clair. Épouse de détective, elle savait très bien quelle peine elle risquait. Cela ne l'inquiétait nullement. Cela serait plutôt un soulagement. Mais l'enfant qu'elle attendait? Que faisait la loi d'une meurtrière enceinte? Tuait-on les deux, la mère et l'enfant? Ou bien attendait-on la naissance? Comment procédait-on?

Mary Maloney n'en savait rien. Elle était loin de s'en faire une idée.

Elle alla dans la cuisine, alluma le four et mit le gigot à rôtir. Puis elle se lava les mains et monta dans sa chambre en courant. Là, elle s'assit devant sa coiffeuse, se donna un coup de peigne, se repoudra et mit un peu de rouge à lèvres. Elle tenta de sourire. Le résultat fut lamentable. Elle fit une nouvelle tentative.

« Bonjour, Sam », dit-elle, joyeusement, à haute voix.

La voix, comme le sourire, lui parut dépourvue de naturel.

« Pourriez-vous me donner quelques pommes de terre? Et puis une boîte de petits pois? »

Cela allait mieux. Pour le sourire et pour la voix. Elle répéta plusieurs fois son petit texte. Puis elle descendit, prit son manteau, sortit par la petite porte, traversa le jardin pour se trouver dans la rue.

Il n'était pas tout à fait six heures et l'épicerie était encore éclairée.

— Bonsoir, Sam, dit-elle joyeusement à l'homme qui se trouvait derrière le comptoir.

— Bonsoir, madame Maloney. Comment allez-vous?

— Pourriez-vous me donner quelques pommes de terre? Et puis une boîte de petits pois!

L'homme lui tourna le dos pour descendre du rayon la boîte de petits pois.

— Patrick a décidé de ne pas sortir ce soir, il est trop fatigué, dit-elle. D'habitude, nous sortons le jeudi soir, vous savez bien. Et je m'aperçois que je n'ai pas de légumes à la maison.

— Et de la viande, madame Maloney, vous n'en prenez pas ?

— Non, merci, j'en ai. J'ai un beau gigot congelé.

— Ah !

— Au fond, je n'aime pas tellement faire cuire de la viande congelée, Sam. Mais, cette fois-ci, je vais essayer. Qu'en pensez-vous ?

— Personnellement, dit le commerçant, je ne crois pas qu'il y ait une différence. Voulez-vous de ces pommes de terre de l'Idaho ?

— Oh oui, ça ira très bien.

— Et avec ça ? demanda l'épicier en souriant. Comme dessert ? Qu'allez-vous lui donner comme dessert ?

— Eh bien..., que me conseillez-vous, Sam ?

L'épicier passa en revue ses rayons.

— Ce beau gâteau au fromage, par exemple ? Je crois savoir qu'il aime ça.

— Parfait, dit-elle. Il adore le gâteau au fromage.

Puis, après avoir payé, elle dit avec un sourire radieux :

— Merci, Sam. Bonsoir !

— Bonsoir, madame Maloney. Et merci !

Dans la rue, elle pressa le pas. Elle se dit qu'elle allait retrouver son mari qui l'attendait à la maison. Elle se dit encore qu'il fallait bien réussir le dîner parce que le pauvre homme était fatigué. Alors si, en rentrant, elle allait trouver quelque chose d'insolite, de tragique ou d'épouvantable, elle serait tout naturellement bouleversée, elle deviendrait folle de chagrin et de terreur. Elle rentrait chez elle, simplement, comme n'importe quel autre jour, après avoir fait ses provisions. C'est Mme Maloney qui vient d'acheter des légumes et qui rentre à la maison, un jeudi soir. Elle rentre chez elle où l'attend son mari. Elle va préparer un bon repas.

« C'est la seule chose à faire, se dit-elle. Me conduire avec naturel et simplicité. Être naturelle. Comme ça, pas besoin de jouer la comédie. »

C'est donc en fredonnant un petit air joyeux qu'elle entra dans sa cuisine par la petite porte.

« Patrick ! cria-t-elle. J'arrive ! »

Elle posa son paquet sur la table et passa dans la salle de séjour. Et lorsqu'elle le vit, étendu par terre, les jambes en bataille, un bras replié, ce fut réellement un choc assez violent. Elle sentit rejaillir en elle tout un torrent d'amour perdu, de tendresse ancienne. Elle courut vers le corps, tomba à genoux et se mit à pleurer à chaudes larmes. C'était facile. Pas nécessaire de jouer la comédie.

Au bout de quelques minutes, elle se leva et alla au téléphone. Elle savait par cœur le numéro du poste de police. Et lorsqu'elle entendit une voix au bout du fil, elle dit en pleurant :

— Venez vite ! Patrick est mort !

— Qui est à l'appareil ?

— C'est Mme Maloney. La femme de Patrick Maloney.

— Vous voulez dire que Patrick est mort ?

— Je le pense, sanglota-t-elle. Il est étendu par terre et je crois qu'il est mort.

— On arrive, dit la voix.

Le car arriva en effet très vite et lorsqu'elle ouvrit la grande porte, elle tomba tout droit dans les bras de Jack Noonan, en pleurant avec hystérie. Il l'aida gentiment à s'asseoir sur sa chaise, puis il alla rejoindre son collègue qui venait de s'agenouiller près du corps.

— Est-il mort ? pleura Mary.

— Je le crains. Que s'est-il passé ?

Elle raconta brièvement qu'elle était descendue chez
250 l'épicier et qu'elle avait trouvé Patrick étendu par terre en rentrant. En écoutant son récit coupé de sanglots, Noonan découvrit une paillette de sang gelé sur les cheveux du mort. Il la montra aussitôt à O'Malley, qui se leva et courut au téléphone.

255 Peu après, d'autres hommes envahirent la maison. Un médecin, puis deux détectives. Mary en connaissait un de nom. Le photographe de la police arriva et prit des clichés. Ensuite ce fut le tour de l'expert chargé de prendre les empreintes digitales. Il y eut de longs chuchotements autour
260 du cadavre et Mary dut répondre à d'innombrables questions. Mais tout le monde la traita avec beaucoup de gentillesse. Il fallut qu'elle racontât de nouveau son histoire, depuis le début. L'arrivée de Patrick alors qu'elle était assise dans son fauteuil en cousant. Il était fatigué, si fatigué qu'il
265 n'avait pas eu envie de dîner dehors. Elle raconta comment elle avait mis le gigot au four – « il y est toujours » – et comment elle était descendue chez l'épicier. Et comment, en rentrant, elle avait trouvé son époux gisant sur le tapis.

« Quel épicier ? » demanda l'un des détectives. Elle le lui
270 dit et il parla à voix basse à l'autre détective qui, aussitôt, quitta la maison.

Il revint au bout d'une quinzaine de minutes avec une page de notes. Il y eut d'autres chuchotements, et, à travers ses sanglots, elle put capter des bribes de phrases :
275 « … Comportement absolument normal… très enjouée… voulait lui préparer un bon dîner… petits pois… gâteau au fromage… impossible qu'elle… » Un peu plus tard, le photographe et le docteur prirent congé. Deux autres policiers firent leur entrée pour emporter le corps sur un brancard.
280 Puis l'homme aux empreintes digitales se retira à son tour. Les deux détectives restèrent, ainsi que les deux agents. Ils étaient tous remarquablement gentils et Jack Noonan

voulut savoir si Mary n'avait pas envie de quitter la maison, d'aller, par exemple, chez sa sœur ou, peut-être, chez sa
285 femme à lui qui prendrait soin d'elle et qui l'accueillerait volontiers pour la nuit.

« Non », dit-elle. Elle lui expliqua qu'elle ne se sentait pas la force de bouger. Qu'elle aimerait mieux rester où elle était pour l'instant. Qu'elle ne se sentait pas bien. Pas bien du
290 tout.

Jack Noonan lui demanda alors si elle ne voulait pas se mettre au lit.

« Non », répondit-elle encore. Elle préférait rester dans son fauteuil. Un peu plus tard peut-être, quand elle se sen-
295 tirait mieux, elle prendrait une décision.

Ainsi ils l'abandonnèrent dans son fauteuil pour aller fouiller la maison. Mais, de temps à autre, l'un des détectives revenait pour lui poser une question. Jack Noonan revint à son tour et lui parla doucement. Son mari, lui dit-
300 il, avait été tué d'un coup violent sur le crâne, administré à l'aide d'un instrument lourd et contondant, probablement en métal. Ils étaient actuellement à la recherche de cet objet. L'assassin avait pu l'emporter avec lui, mais il avait pu aussi bien s'en débarrasser sur les lieux.

305 « C'est une vieille histoire, dit-il. Trouvez l'arme et vous tenez le bonhomme ! »

Plus tard, l'un des détectives remonta de la cave et vint s'asseoir près d'elle. Il lui demanda si, à sa connaissance, il existait dans la maison un objet ayant pu servir d'arme. Et
310 si cela ne l'ennuyait pas d'aller voir s'il ne manquait rien, une grosse clef anglaise, par exemple. Ou un vase de métal.

Elle lui dit qu'elle n'avait jamais eu de vase de métal.

« Et une clef anglaise ? »

Elle ne pensait pas en avoir. À moins qu'il n'y en eût une
315 au garage.

Les recherches reprirent. Elle savait que d'autres policiers se trouvaient au jardin, tout autour de la maison. Elle entendait le gravier grincer sous leurs pas et, de temps à autre, elle entrevoyait la lueur de leurs torches par une fente du rideau. Il était tard. Près de neuf heures. Après tant de vaines recherches, les quatre policiers parurent un peu exaspérés.

— Jack, dit-elle lorsqu'elle vit entrer le sergent Noonan. Auriez-vous la gentillesse de me donner à boire ?

— Mais certainement ! C'est du whisky que vous voudriez ?

— Oui, s'il vous plaît. Mais très peu, rien qu'un doigt ! Je me sentirai peut-être mieux après.

Il lui tendit le verre.

— Pourquoi n'en prenez-vous pas vous-même ? dit-elle. Vous devez être terriblement fatigué.

— C'est que, fit-il, ce ne serait pas strictement régulier. Mais j'en prendrais bien une goutte, pour rester en forme.

Un autre homme entra. Après quelques encouragements, ils étaient tous là, debout, tenant gauchement leur verre à la main. Intimidés par la présence de la veuve, ils s'efforçaient de prononcer des mots réconfortants. Puis le sergent Noonan alla faire un tour à la cuisine. Il revint aussitôt et dit : « Vous savez, madame Maloney, votre four est toujours allumé et la viande est dedans !

— Oh ! mon Dieu ! s'écria-t-elle, c'est vrai !

— Voulez-vous que j'aille l'éteindre ?

— Vous seriez très gentil, Jack. Merci mille fois. »

Lorsque le sergent Noonan revint pour la seconde fois, elle leva sur lui ses grands yeux sombres et mouillés.

— Jack Noonan, dit-elle.

— Oui ?

— Voulez-vous me rendre un petit service, vous et vos collègues ?

— Certainement, madame Maloney.

— Eh bien, dit-elle, vous êtes tous des amis de mon pauvre Patrick et vous êtes ici pour m'aider à trouver son assassin. Vous devez avoir faim, après tant d'heures supplémentaires, et je sais que mon pauvre Patrick ne me pardonnerait jamais de vous recevoir ici sans rien vous offrir. Pourquoi ne mangeriez-vous pas le gigot qui est au four ? Il doit être cuit à point.

— Impossible d'accepter… bredouilla Jack Noonan.

— S'il vous plaît, supplia-t-elle, faites-le pour moi. Moi-même, pas question que je touche à quoi que ce soit. Tout me fait trop penser à lui. Mais vous, c'est différent. Vous m'aurez rendu un immense service. Et ensuite, vous pourrez vous remettre au travail.

Les quatre policiers eurent un long moment d'hésitation ; mais comme ils mouraient tous de faim, ils finirent par se laisser convaincre. Ils se rendirent à la cuisine pour attaquer le gigot. La jeune femme demeura à sa place, ce qui lui permit de les écouter par la porte entrouverte. Elle put ainsi les entendre parler, la bouche pleine, de leurs grosses voix pâteuses.

— Un autre morceau, Charlie ?

— Non. Vaut mieux ne pas tout manger.

— Elle veut qu'on mange tout. C'est ce qu'elle a dit. Ça lui rend service.

— Bon, si ça lui rend service, passe-moi encore un petit bout.

— Qu'est-ce qu'il a bien pu avoir comme gourdin, le type qui a bousillé le pauvre Patrick ? dit l'un d'eux. Le toubib dit qu'il a une partie du crâne en miettes, comme broyée à coups de marteau.

— On finira bien par trouver.

— C'est ce que je pense aussi.

— Qui que ce soit, il n'a pas pu aller loin avec son truc. Un truc comme ça, on ne le trimbale jamais plus longtemps
385 qu'il ne le faut.

L'un d'eux éructa.

— À mon avis, la chose doit se trouver ici, sur les lieux mêmes.

— Probablement. Nous devons l'avoir sous le nez. Tu
390 ne crois pas, Jack ?

Dans la pièce voisine, Mary Maloney se mit à ricaner.

Roald Dahl, « Coup de gigot », dans *Bizarre! Bizarre!*, traduit de l'anglais par Élisabeth Gaspar et Hilda Barberis, Paris, Gallimard, 1962, p. 26 à 37.

ROALD DAHL – (1916-1990)

Il n'est peut-être pas surprenant d'apprendre que Roald Dahl, le plus excentrique des écrivains pour enfants, a amorcé sa carrière en signant des récits noirs, cruels et macabres. Le monde littéraire remarque l'auteur d'origine galloise au cours des années 1950, avec la parution de *Bizarre ! Bizarre !* et de *Kiss Kiss*, des recueils de nouvelles noires à souhait qui séduiront le maître du suspense, Alfred Hitchcock. Le cinéaste en portera plusieurs à l'écran pour sa série télévisée *Alfred Hitchcock présente.* Roald Dahl doit toutefois sa popularité à ses histoires destinées aux enfants : *James et la grosse pêche* (1961), *Charlie et la chocolaterie* (1964), *Danny, champion du monde* (1975), *Le bon gros géant* (1982) et *Matilda* (1987) sont devenus des livres-cultes pour des millions d'enfants de partout dans le monde. Lorsqu'on lui demanda le secret de son succès auprès des jeunes lecteurs, Roald Dahl eut cette réponse toute simple : « Conspirer avec les enfants contre les adultes ! »

Roald Dahl est aussi l'auteur de :
- *La grande entourloupe* (recueil de nouvelles, 1976)
- *Mon oncle Oswald* (roman, 1979)
- *Moi, Boy : souvenirs d'enfance* (autobiographie, 1984)

Le talent

Claire Martin

Première parution : 1958.
Œuvre francophone du Québec.
Nouvelle réaliste.

En sortant du cinéma, j'aperçus, ce soir-là, Francis Thierry donnant le bras à une longue femme rousse, vêtue de vert, naturellement. Les femmes rousses savent, en naissant, que le vert leur donne un aspect incantatoire, qu'il argente leur peau blanche, et que leurs cheveux, qui brûlent au-dessus de cette absinthe, les font paraître sortir de la cornue d'un alchimiste. Pour peu qu'elles aient aussi les yeux verts, on a envie qu'elles vous fassent l'horoscope ou qu'elles vous amènent au sabbat. Circé devait être une rousse aux yeux verts. Pauvre Thierry, est-ce qu'il savait seulement ce que c'était que Circé ?

Je ne l'avais jamais vu qu'avec des blondinettes sentimentales et plaintives qu'il épatait sans effort. Elles croyaient être aimées d'un poète et se pensaient obligées d'être dolentes, de soupirer languissamment et de montrer leurs sclérotiques à tout propos.

Thierry écrivait pour elles de petits poèmes crème et sucre qui les faisaient tomber sur son cœur à pleines brassées. Il n'avait pas tort. Chacun ses armes. Mais ensuite, il les publiait, ces poèmes. Il n'avait pas raison.

20 Cela avait commencé vers sa quinzième année quand, sa puberté le tarabustant et n'ayant pas d'argent pour offrir les glaces, il n'avait rien trouvé de mieux, pour conquérir les petites filles de sa rue, que de recopier à leur usage des extraits de *Toi et Moi*[1]. Les petites filles, souvent blessées par les brutalités 25 des autres garçons, en bavaient des ronds de chapeau[2], comme on disait à l'époque. Et puis, petit à petit, il avait eu envie de les pondre lui-même, les poèmes « clefs des cœurs ». Mais il était resté voué aux « mon petit oiseau, ma petite âme, mon enfant adorée ». Et cela se vendait. Pourquoi pas ? 30 D'abord, il était très volage. Et chacune voulait posséder le bouquin où figurait son poème. Par ailleurs, elles étaient souvent huit ou dix à considérer le même comme leur. Thierry ne perdait pas le nord, même pour la plus charmante des petites âmes, et la poésie n'exclut pas le sens pratique, c'est 35 bien connu. Et puis, il y avait celles qui attendaient leur tour et prenaient patience en s'excitant sur la veine des autres. Tout cela faisait, bon an mal an, un joli petit noyau de lectrices.

Au poste radiophonique où je travaillais, on lui prenait, chaque semaine, un sketch d'une demi-heure. L'eau de rose 40 y glougloutait à flots pressés, on s'y noyait. Qu'importe. Le *rating* était bon. Le commanditaire était content.

L'auteur venait en personne surveiller le travail. Il n'aurait pas manqué ça pour une terre en bois debout. Il interrompait la répétition pour nous inciter au sentiment, pour nous de- 45 mander si nous avions quelque chose là. Quand chacun, l'ayant assuré que si, avait été individuellement supplié de le trouver, on recommençait. Puis, juste avant le *stand-by*, il faisait le tour des épaules, tapotant celles des comédiens, enlaçant celles des comédiennes, baisant des mains, des joues,

1. *Toi et Moi* est un célèbre recueil de poésie amoureuse aux vers tendres publié en 1913 par le poète français Paul Géraldy (1885-1983).

2. En baver des ronds de chapeau : « rester béat d'admiration ».

50 des cheveux, en répétant tendrement: « Du sentiment, mes enfants, du sentiment. » Pendant l'émission, il fermait les yeux et remuait doucement les narines aux passages les plus palpitants.

La demi-heure à peine terminée, tous les téléphones se 55 mettaient à sonner en même temps. Les standardistes étaient débordées, accablées, exténuées. Mais Francis buvait du lait. Bien calé dans un fauteuil, l'air d'un gros chat ronronnant, il répondait à des douzaines d'admiratrices qu'il tutoyait pour la plupart. Il ne se départait jamais de cette voix basse 60 et tendre qu'il avait eu tant de peine à acquérir. Il passait là une petite heure à répéter inlassablement: « C'est à toi que j'ai pensé en écrivant ce sketch, mon petit oiseau. »

Et puis venaient les signatures d'autographes que nous appelions le recrutement, car c'était durant cette opération 65 que Francis levait le plus clair de ses nouvelles conquêtes. Ça rendait, ça rendait.

Puis il y avait eu cette rousse. Dieu sait où il l'avait dénichée. Assurément pas au recrutement. Ça n'était pas son genre. Elle s'appelait Sonia, comme de juste, et semblait con-70 sidérer le monde du haut d'un iceberg. Elle semblait aussi intimider furieusement notre Thierry, ce dont il avait l'air d'être le premier étonné. Peu de temps après cette soirée au cinéma, il l'avait amenée écouter le sketch au poste. Pour asseoir son prestige sans doute. Le pauvre cher garçon!

75 Nous eussions préféré qu'il l'installât dans la salle d'écoute. Mais Thierry voulait se faire voir dans toute sa « glamour », avec toute son autorité. Aussi la garda-t-il avec lui.

Elle s'était posée, du bout des fesses, près de l'ingénieur du son et, au travers de la grande vitre qui séparait le contrôle 80 du studio, nous ne pouvions faire autrement que de voir son sourire glaçant. De toute évidence, la prose de Thierry ne remplissait pas, ici, sa fonction.

Les comédiens, qui avaient grand besoin d'encouragement pour régurgiter tout ce miel, perdaient pied chaque fois que, levant les yeux de leur texte, ils apercevaient ce menton blanc, projeté en avant, et qui semblait les désigner au mauvais sort. Gênés de leurs répliques, comme ils l'auraient été d'autant d'aveux pénibles, ils essayaient de tempérer, de jouer sobre. Après sept ou huit répétitions sur le mode délirant, c'était désastreux.

Le mot de la fin dit, Sonia se leva comme une déesse qui retourne à l'Olympe et sortit du contrôle. Thierry la suivit. Quand nous sortîmes du studio, quelques secondes après, il venait de lui présenter le directeur avec qui elle resta à causer jusqu'à la fin des appels téléphoniques.

Dès la semaine suivante, il apparut tout de suite que Francis avait du plomb dans l'aile. On le vit bien à l'heure des admiratrices. Il avait essayé de faire différent et, mon Dieu, il en était fort incapable.

Sonia avait préféré, dès cette semaine-là, aussi rester dans la salle d'écoute où le directeur lui tint compagnie.

Et puis, ce fut la même chose toutes les semaines. Thierry continuait de se chercher et il ne trouvait rien. Après chaque émission il revenait la trouver, l'œil à la fois quémandeur et désespéré d'avance, humble. Mais le petit menton blanc était toujours aussi impitoyable. Et le *rating* dégringolait.

En août Thierry fut convoqué au bureau du directeur pour s'entendre dire que son contrat ne serait pas renouvelé, mais qu'on avait besoin de quelqu'un ayant un joli brin de plume pour écrire les textes de la publicité. Après avoir, en vain, offert ses services à tous les autres postes radiophoniques de la ville, il fut bien obligé d'accepter.

La même semaine, il reçut une courte lettre qu'il me montra, les larmes aux yeux. Sonia lui expliquait, en quatre phrases, qu'ils n'étaient pas faits l'un pour l'autre.

Et là, nous eûmes ce spectacle imprévu, inimaginable, ce spectacle qui eût bien épaté les blondinettes du temps jadis : Thierry désespéré, hagard, maigre, les yeux cernés et les lèvres grises. Ce petit bourreau des cœurs payait pour toutes les autres et il payait comptant.

Et pourtant il ne connaissait pas encore toute sa disgrâce. Il croyait avoir été plaqué parce qu'il n'était plus rien, comme il disait, le pauvre. Il racontait à qui voulait l'entendre qu'elle n'avait aimé en lui que l'auteur à succès. Quand la saison recommença, il ne dit plus rien. Sa demi-heure avait été confiée à Sonia.

Il se mit à faire son terne boulot, bouche cousue, délaissé de tous, il va sans dire. En quelques jours, il avait pris ce teint bilieux qui ne l'a plus quitté depuis. Il devait publier un volume de poèmes vers la Noël. Il ne publia rien du tout et nul ne s'en préoccupa. Seul dans son coin, il écrivait inlassablement et personne n'avait jamais vu de scripteur publicitaire travailler avec autant d'ardeur. Il tapait du matin au soir et je voyais souvent passer sur son visage des ondes de fureur qui lui tordaient la bouche et le nez. J'en chuchotai dans les coins avec les autres pendant quelques semaines et puis je m'y habituai.

Les mois passaient. Sonia faisait maintenant, au poste, la pluie et le beau temps. Ses sketchs, excellents il faut bien le dire, avaient un vif succès, et on ne lui ménageait pas le battage. Elle était très lancée, au mieux avec le directeur. Nous lui faisions consciencieusement la cour. Francis, lui, semblait vivre sur une autre planète. Il ne levait même pas la tête quand la jupe verte passait auprès de lui.

Vint le mois de mai. Un midi, je ne l'oublierai jamais, j'étais à lui parler travail quand son téléphone sonna. Avant de décrocher, il regarda l'heure et pâlit un peu. Et pendant qu'il écoutait, je voyais une expression extraordinaire envahir son visage. J'y voyais ce battement pathétique qui défigure le coureur atteignant le poteau. Ce fut très court. Il raccrocha d'un geste cassé, feignit de ne pas voir mon regard interrogateur, s'excusa, et partit précipitamment, me laissant sur ma faim.

Je n'y pensais déjà plus, quand un groupe gesticulant et piailleur émergea de la salle des dépêches. Francis Thierry venait de gagner le grand prix du roman. Nous étions sidérés et, il faut bien en convenir, nous avions tous des gueules de coupables.

Nous les avions encore quand il revint tranquillement reprendre sa place, le lendemain matin. Il fallait nous voir, l'un après l'autre, tortillant péniblement du derrière, pour aller le féliciter. Il n'y eut vraiment que le directeur et Sonia à le faire de façon désinvolte. Francis secouait toutes les mains avec le même sourire aigu et, aussitôt libéré, plongeait le nez vers son clavier.

Quelques jours plus tard, le livre était en librairie. Nous savions déjà, par les articles de journaux, les reportages, les interviews, qu'il ne s'agissait pas d'un roman rose, mais de là à imaginer... Ah! je vous jure bien qu'on était loin des « enfants adorées » et que si Thierry y avait appelé son héroïne « petite âme » on aurait tout de suite compris que son vocabulaire avait changé de valeurs. C'était un livre étonnant, qu'on aurait dit poussé à son terme à coups de cravache. La phrase dure, rigoureuse, portait merveilleusement ce fardeau de haine et de cruauté qui pesait tout au long de chaque page, et dont l'auteur se délestait sans jamais l'épuiser.

Sonia avait d'abord essayé de tenir le coup. Que ce fût d'elle qu'il s'agissait dans ce roman, ça ne faisait pas l'ombre d'un doute, mais cela, elle feignait de ne pas même le soupçonner. Nous aussi. Ce qu'elle ne put supporter, ce fut la pluie d'honneurs qui se mit à choir sur la tête de Francis.

Pendant plusieurs jours, il n'y eut pas un matin qui n'apportât une nouvelle bénédiction. C'était les États-Unis qui demandaient une traduction en anglais, l'Amérique du Sud
185 qui en voulait une en espagnol. Hollywood décidait d'en faire un film. Un éditeur de Paris demandait le contrat du bouquin suivant, par téléphone, pendant que nous entourions Thierry d'un cercle de bouches bées. Sonia fit ses bagages et partit au Mexique pour des vacances indéfinies.

190 Il ne parut jamais, le bouquin suivant. La haine, je veux dire la vraie, l'efficace, ça se défait encore plus vite que l'amour. C'est platonique. C'est *self*-nourri. Il y manque la participation, la provocation des corps. Ça vous file entre les doigts. Thierry a changé de situation : ça n'est pas les offres
195 qui lui ont manqué, il s'est marié avec une petite blonde, rose et tendre, il a eu une ribambelle d'enfants, blonds et roses. Avec l'argent d'Hollywood il s'est acheté une propriété magnifique. Et il a pardonné à celle à qui il devait son petit moment de génie.

200 Et puis, pour finir, il a repris son véritable nom : Gaston Dupont.

Claire Martin, « Le talent », dans *Avec ou sans amour*, Montréal, Le Cercle du Livre de France, 1958.

℘ Claire Martin – (née au Québec en 1914)

La carrière littéraire de Claire Martin, la doyenne des écrivains québécois, aura été jalonnée de livres admirables… et de plus de vingt-cinq ans de silence. Elle publie un premier recueil de nouvelles remarqué en 1958 : *Avec ou sans amour*. En 1965 et en 1966, Claire Martin fait paraître les deux tomes de *Dans un gant de fer*, de cruelles mémoires d'enfance qui lui valent les éloges de la critique et du public. Après *Les morts* (1970) et *La petite fille lit* (1973), il faudra attendre jusqu'en 1999 avant de lire *Toute la vie*. Depuis, l'auteure nonagénaire fait preuve d'une vitalité hors du commun : elle a signé six nouveaux ouvrages, dont *Le feu purificateur* en 2008 ; elle était alors âgée de 94 ans. En 2007, pour sa contribution exceptionnelle à la littérature québécoise, Claire Martin a reçu le titre d'officier de l'Ordre national du Québec.

Claire Martin est aussi l'auteure de :
- *Dans un gant de fer* (mémoires, 1966)
- *Moi, je n'étais qu'espoir* (pièce de théâtre, 1972)
- *Le feu purificateur* (recueil de nouvelles, 2008)

Une fâcheuse compagnie

Jacques Ferron

Première parution : 1962.
Œuvre francophone du Québec.
Nouvelle réaliste.

J'étais nouveau dans la pratique ; par un air de suffisance je cachais les inquiétudes que me causait mon personnage. Un jour je fus appelé à St-Yvon, un des villages de la paroisse de Cloridorme, dans le comté de Gaspé-Nord. On
5 était en hiver ; la mer formait un immense champ de glace avec, çà et là, des trouées noires et fumantes.

Dans les vieux comtés, où règne l'habitant casanier et chatouilleux sur la propriété, on ne partagera jamais avec ses voisins d'autre bétail que les oiseaux du ciel. À Saint-Yvon,
10 il n'en va pas de même ; on subit l'influence de la mer, qui est à tous et à chacun. Cela donne un régime moins mesquin, favorisant l'entraide et la société. Par exemple, chats et chiens sont au soin de tout le monde ; et les cochons aussi, hélas !

15 Ces derniers restent dehors durant l'hiver. On prétend que ça les dégourdit. Ils errent autour des maisons, impudents et familiers, en quête de déchets. Par les jours ensoleillés ils se divisent en truies et en verrats, mais c'est pour mieux se rapprocher ; ils s'en donnent alors à cœur joie, sans aucune

retenue, comme de vrais cochons. Un passant survient-il, ils enfilent derrière lui sans attendre d'invitation. Tombe-t-il une bordée, ce sont eux qui tracent des sentiers dans la neige fraîche. Tels sont les cochons de St-Yvon, au demeurant fabricants de lard comme leurs confrères des vieux comtés et criant aussi haut leur déplaisir quand vient l'heure de le livrer.

Je suis donc mandé dans ce village. Je m'y amène. L'autoneige du postillon continue vers Gaspé. J'entre au magasin pour m'enquérir de mon patient. « Approchez », dit le marchand ; et il m'indique par une fenêtre, à l'est de l'anse, le long du plein, la maison où celui-ci m'attend. Renseigné, je reviens au comptoir sur lequel, avant de m'approcher de la fenêtre, j'avais déposé ma trousse. C'est une belle trousse noire et luisante, qui a les oreilles en l'air ; il ne faut pas la regarder longtemps avant de se rendre compte qu'elle est neuve.

« Acré, dit le marchand, vous avez là, docteur, un beau portuna ! »

Je suis déconcerté : pourquoi nomme-t-il ainsi ma trousse ? Veut-il se moquer de moi ? Avec un sourire un peu niais, je le remercie, je le salue et j'arrive enfin à la porte, bien content de sortir du magasin. Puis, quelque peu rasséréné par le grand air, je m'engage, portuna sous le bras, dans le sentier des cochons-voyers.

Je m'aperçus alors que mon personnage soulevait de l'intérêt ; on écartait discrètement un rideau pour le voir ; ou bien on le regardait crûment au travers des vitres. Cette curiosité était assez légitime : n'étais-je pas nouveau venu dans la place ? Pour qu'on se fît bonne opinion, je marchais sans hâte, avec toute la dignité possible. Et tout alla bien durant quelque temps. Puis j'entendis un grognement. Je jetai un coup d'œil derrière moi et je vis la bête. D'abord, je me demandai, amusé :

« Qu'est-ce qui lui prend de me suivre, ce cochon ! »

Mon amusement, hélas ! ne dura guère ; je me souvins du coin obscur, quelque peu truffé, que j'avais dans le cœur et que je croyais, à cette époque, être le seul à posséder. Pour rien au monde je n'en eusse avoué la présence. Et voilà qu'au moment où, par une démarche lente de cheval de corbillard, je cherchais à être digne de ma noble profession, cette horrible bête, de son groin infaillible, découvrait ce coin caché à la vue de tout un village ! Que faire en l'occurrence ?

« Le mieux, me dis-je, est de n'en pas faire cas. »

Je continuai donc, mais je n'étais pas heureux. Le cochon ne me laissait guère ; je l'entendais grogner à intervalles réguliers. Bientôt il me sembla que ces intervalles se rapprochaient et que de l'un à l'autre les grognements ne se ressemblaient guère. Qu'est-ce que cela pouvait signifier ? Pour en avoir le cœur net, je jetai un autre coup d'œil par-dessus mon épaule : le portuna faillit me tomber des bras : ils étaient quatre ! Un, passe encore, mais quatre, c'était plus que mon amour-propre n'en pouvait souffrir. Je fus donc sur le point de perdre la tête et de me retourner contre ces maudits cochons pour leur botter le groin. La dignité m'en empêcha. D'ailleurs, je n'étais pas à bout de ressources. « Si je m'arrête, me dis-je, ils passeront peut-être devant moi. Il s'agira alors de ne pas les suivre. »

Je me mets donc à côté du sentier ; j'allume une cigarette. Les cochons n'ont rien à fumer, mais ils arrêtent aussi et rien n'indique qu'ils se laisseront persuader de prendre les devants. Je continue alors avec l'espoir qu'ils resteront figés sur place ; ils repartent aussitôt. Il me reste, hâtant le pas, à décourager leur poursuite ; peine perdue, ils ne me lâchent pas, ils trottent derrière moi avec de joyeux grognements. Il n'y a plus rien à faire ; je suis déshonoré à jamais. Les maisons se pressent sur mon passage ; tout le village a le spectacle d'un docteur en médecine suivi de quatre cochons.

J'eus le courage de continuer. J'arrivais d'ailleurs à la maison où j'étais attendu. Je frappai. On vint m'ouvrir. Je m'attendais au pire ; par exemple, à ce qu'on dise :

90 « Ne vous gênez pas, docteur, faites entrer vos amis. »

On me reçut avec une politesse exquise. Les cochons restèrent dehors.

Jacques Ferron, « Une fâcheuse compagnie », dans *Contes : édition intégrale*, Montréal, Éditions HMH, 1968, p. 42 à 44.

JACQUES FERRON – (1921-1985)

Comme Rabelais et Tchekhov, Jacques Ferron fut l'un de ces rares et précieux médecins-écrivains. Avec Rabelais, il partage l'humour et l'art du conteur ; avec Tchekhov, le don de décrire les travers de sa société. En 1946, à la fin de ses études, le futur écrivain s'installe à Rivière-Madeleine, en Gaspésie, où il devient médecin de famille. Ce séjour laisse des traces dans ses *Contes du pays incertain* (1962). En réanimant la forme traditionnelle du conte, Ferron se fait « le dernier d'une tradition orale, et le premier de la transcription écrite ». Mais l'auteur ne s'en tient pas au conte, loin de là : au cours de sa vie, Ferron signera une dizaine de pièces de théâtre, plusieurs romans et récits (*Le ciel de Québec*, 1969 ; *L'amélanchier*, 1970 ; *Les roses sauvages*, 1971), des essais et des historiettes (*Du fond de mon arrière-cuisine*, 1973) et quantité de textes politiques et polémiques. Candidat aux élections de 1958, il crée en 1963 le Parti rhinocéros, qui tourne en dérision le processus électoral et le discours politique. Jacques Ferron était attelé à l'écriture d'un grand livre sur la folie, *Le pas de Gamelin*, lorsqu'il est mort, en 1985. On lui doit aujourd'hui l'une des œuvres les plus originales de la littérature québécoise.

Jacques Ferron est aussi l'auteur de :
– *Contes anglais et autres* (recueil de contes, 1964)
– *Le Saint-Élias* (roman, 1972)
– *Les confitures de coings et autres textes* (récits, 1972)

PAUVRE PETIT GARÇON !

DINO BUZZATI

Première parution : 1966.
Œuvre traduite de l'italien.
Nouvelle réaliste à teneur psychologique.

Comme d'habitude, Mme Klara emmena son petit garçon, cinq ans, au jardin public, au bord du fleuve. Il était environ trois heures. La saison n'était ni belle ni mauvaise, le soleil jouait à cache-cache et le vent soufflait de 5 temps à autre, porté par le fleuve.

On ne pouvait pas dire non plus de cet enfant qu'il était beau, au contraire, il était plutôt pitoyable même, maigrichon, souffreteux, blafard, presque vert, au point que ses camarades de jeu, pour se moquer de lui, l'appelaient Laitue. Mais 10 d'habitude les enfants au teint pâle ont en compensation d'immenses yeux noirs qui illuminent leur visage exsangue et lui donnent une expression pathétique. Ce n'était pas le cas de Dolfi ; il avait de petits yeux insignifiants qui vous regardaient sans aucune personnalité.

15 Ce jour-là, le bambin surnommé Laitue avait un fusil tout neuf qui tirait même de petites cartouches, inoffensives bien sûr, mais c'était quand même un fusil ! Il ne se mit pas à jouer avec les autres enfants car d'ordinaire ils le tracassaient, alors il préférait rester tout seul dans son coin, même

sans jouer. Parce que les animaux qui ignorent la souffrance de la solitude sont capables de s'amuser tout seuls, mais l'homme au contraire n'y arrive pas et s'il tente de le faire, bien vite une angoisse encore plus forte s'empare de lui.

Pourtant quand les autres gamins passaient devant lui, Dolfi épaulait son fusil et faisait semblant de tirer, mais sans animosité, c'était plutôt une invitation, comme s'il avait voulu leur dire : « Tiens, tu vois, moi aussi aujourd'hui j'ai un fusil. Pourquoi est-ce que vous ne me demandez pas de jouer avec vous ? »

Les autres enfants éparpillés dans l'allée remarquèrent bien le nouveau fusil de Dolfi. C'était un jouet de quatre sous mais il était flambant neuf et puis il était différent des leurs et cela suffisait pour susciter leur curiosité et leur envie. L'un d'eux dit :

« Hé ! vous autres ! vous avez vu la Laitue, le fusil qu'il a aujourd'hui ? »

Un autre dit :

« La Laitue a apporté son fusil seulement pour nous le faire voir et nous faire bisquer mais il ne jouera pas avec nous. D'ailleurs il ne sait même pas jouer tout seul. La Laitue est un cochon. Et puis son fusil, c'est de la camelote !

— Il ne joue pas parce qu'il a peur de nous, dit un troisième. »

Et celui qui avait parlé avant :

« Peut-être, mais n'empêche que c'est un dégoûtant ! »

Mme Klara était assise sur un banc, occupée à tricoter, et le soleil la nimbait d'un halo. Son petit garçon était assis, bêtement désœuvré, à côté d'elle, il n'osait pas se risquer dans l'allée avec son fusil et il le manipulait avec maladresse. Il était environ trois heures et dans les arbres de nombreux oiseaux inconnus faisaient un tapage invraisemblable, signe peut-être que le crépuscule approchait.

— Allons, Dolfi, va jouer, l'encourageait Mme Klara, sans lever les yeux de son travail.

— Jouer avec qui ?

— Mais avec les autres petits garçons, voyons ! Vous êtes tous amis, non ?

— Non, on n'est pas amis, disait Dolfi. Quand je vais jouer ils se moquent de moi.

— Tu dis cela parce qu'ils t'appellent Laitue ?

— Je veux pas qu'ils m'appellent Laitue !

— Pourtant moi je trouve que c'est un joli nom. À ta place, je ne me fâcherais pas pour si peu. Mais lui, obstiné :

« Je veux pas qu'on m'appelle Laitue ! »

Les autres enfants jouaient habituellement à la guerre et ce jour-là aussi. Dolfi avait tenté une fois de se joindre à eux, mais aussitôt ils l'avaient appelé Laitue et s'étaient mis à rire. Ils étaient presque tous blonds, lui au contraire était brun, avec une petite mèche qui lui retombait sur le front en virgule. Les autres avaient de bonnes grosses jambes, lui au contraire avait de vraies flûtes maigres et grêles. Les autres couraient et sautaient comme des lapins, lui, avec sa meilleure volonté, ne réussissait pas à les suivre. Ils avaient des fusils, des sabres, des frondes, des arcs, des sarbacanes, des casques. Le fils de l'ingénieur Weiss avait même une cuirasse brillante comme celle des hussards. Les autres, qui avaient pourtant le même âge que lui, connaissaient une quantité de gros mots très énergiques et il n'osait pas les répéter. Ils étaient forts et lui si faible.

Mais cette fois lui aussi était venu avec un fusil.

C'est alors qu'après avoir tenu conciliabule les autres garçons s'approchèrent :

« Tu as un beau fusil, dit Max, le fils de l'ingénieur Weiss. Fais voir. »

Dolfi sans le lâcher laissa l'autre l'examiner.

« Pas mal », reconnut Max avec l'autorité d'un expert.

Il portait en bandoulière une carabine à air comprimé qui coûtait au moins vingt fois plus que le fusil. Dolfi en fut très flatté.

« Avec ce fusil, toi aussi tu peux faire la guerre », dit Walter en baissant les paupières avec condescendance.

« Mais oui, avec ce fusil, tu peux être capitaine », dit un troisième.

Et Dolfi les regardait émerveillé. Ils ne l'avaient pas encore appelé Laitue. Il commença à s'enhardir.

Alors ils lui expliquèrent comment ils allaient faire la guerre ce jour-là. Il y avait l'armée du général Max qui occupait la montagne et il y avait l'armée du général Walter qui tenterait de forcer le passage. Les montagnes étaient en réalité deux talus herbeux recouverts de buissons ; et le passage était constitué par une petite allée en pente. Dolfi fut affecté à l'armée de Walter avec le grade de capitaine. Et puis les deux formations se séparèrent, chacune allant préparer en secret ses propres plans de bataille.

Pour la première fois, Dolfi se vit prendre au sérieux par les autres garçons. Walter lui confia une mission de grande responsabilité : il commanderait l'avant-garde. Ils lui donnèrent comme escorte deux bambins à l'air sournois armés de frondes et ils l'expédièrent en tête de l'armée, avec l'ordre de sonder le passage. Walter et les autres lui souriaient avec gentillesse. D'une façon presque excessive.

Alors Dolfi se dirigea vers la petite allée qui descendait en pente rapide. Des deux côtés, les rives herbeuses avec leurs buissons. Il était clair que les ennemis, commandés par Max, avaient dû tendre une embuscade en se cachant derrière les arbres. Mais on n'apercevait rien de suspect.

« Hé ! capitaine Dolfi, pars immédiatement à l'attaque, les autres n'ont sûrement pas encore eu le temps d'arriver, ordonna Walter sur un ton confidentiel. Aussitôt que tu es arrivé en bas, nous accourons et nous y soutenons leur assaut. Mais toi, cours, cours le plus vite que tu peux, on ne sait jamais… »

Dolfi se retourna pour le regarder. Il remarqua que tant Walter que ses autres compagnons d'armes avaient un étrange sourire. Il eut un instant d'hésitation.

« Qu'est-ce qu'il y a ? demanda-t-il.

— Allons, capitaine, à l'attaque ! » intima le général.

Au même moment, de l'autre côté du fleuve invisible, passa une fanfare militaire. Les palpitations émouvantes de la trompette pénétrèrent comme un flot de vie dans le cœur de Dolfi qui serra fièrement son ridicule petit fusil et se sentit appelé par la gloire.

« À l'attaque, les enfants ! » cria-t-il, comme il n'aurait jamais eu le courage de le faire dans des conditions normales.

Et il se jeta en courant dans la petite allée en pente.

Au même moment un éclat de rire sauvage éclata derrière lui. Mais il n'eut pas le temps de se retourner. Il était déjà lancé et d'un seul coup il sentit son pied retenu. À dix centimètres du sol, ils avaient tendu une ficelle.

Il s'étala de tout son long par terre, se cognant douloureusement le nez. Le fusil lui échappa des mains. Un tumulte de cris et de coups se mêla aux échos ardents de la fanfare. Il essaya de se relever mais les ennemis débouchèrent des buissons et le bombardèrent de terrifiantes balles d'argile pétrie avec de l'eau. Un de ces projectiles le frappa en plein sur l'oreille le faisant trébucher de nouveau. Alors ils sautèrent tous sur lui et le piétinèrent. Même Walter, son général, même ses compagnons d'armes !

« Tiens ! attrape, capitaine Laitue. »

Enfin il sentit que les autres s'enfuyaient, le son héroïque de la fanfare s'estompait au-delà du fleuve. Secoué par des sanglots désespérés il chercha tout autour de lui son fusil. Il le ramassa. Ce n'était plus qu'un tronçon de métal tordu. 155 Quelqu'un avait fait sauter le canon, il ne pouvait plus servir à rien.

Avec cette douloureuse relique à la main, saignant du nez, les genoux couronnés, couvert de terre de la tête aux pieds, il alla retrouver sa maman dans l'allée.

160 « Mon Dieu ! Dolfi, qu'est-ce que tu as fait ? »

Elle ne lui demandait pas ce que les autres lui avaient fait mais ce qu'il avait fait, lui. Instinctif dépit de la brave ménagère qui voit un vêtement complètement perdu. Mais il y avait aussi l'humiliation de la mère : quel pauvre homme 165 deviendrait ce malheureux bambin ? Quelle misérable destinée l'attendait ? Pourquoi n'avait-elle pas mis au monde, elle aussi, un de ces garçons blonds et robustes qui couraient dans le jardin ? Pourquoi Dolfi restait-il si rachitique ? Pourquoi était-il toujours si pâle ? Pourquoi était-il si peu 170 sympathique aux autres ? Pourquoi n'avait-il pas de sang dans les veines et se laissait-il toujours mener par les autres et conduire par le bout du nez ? Elle essaya d'imaginer son fils dans quinze, vingt ans. Elle aurait aimé se le représenter en uniforme, à la tête d'un escadron de cavalerie, ou don- 175 nant le bras à une superbe jeune fille, ou patron d'une belle boutique, ou officier de marine. Mais elle n'y arrivait pas. Elle le voyait toujours assis un porte-plume à la main, avec de grandes feuilles de papier devant lui, penché sur le banc de l'école, penché sur la table de la maison, penché sur le 180 bureau d'une étude poussiéreuse. Un bureaucrate, un petit homme terne. Il serait toujours un pauvre diable, vaincu par la vie.

« Oh ! le pauvre petit ! » s'apitoya une jeune femme élégante qui parlait avec Mme Klara.

185 Et secouant la tête, elle caressa le visage défait de Dolfi.

Le garçon leva les yeux, reconnaissant, il essaya de sourire, et une sorte de lumière éclaira un bref instant son visage pâle. Il y avait toute l'amère solitude d'une créature fragile, innocente, humiliée, sans défense ; le désir désespéré
190 d'un peu de consolation ; un sentiment pur, douloureux, et très beau qu'il était impossible de définir. Pendant un instant – et ce fut la dernière fois – il fut un petit garçon doux, tendre et malheureux, qui ne comprenait pas et demandait au monde environnant un peu de bonté.

195 Mais ce ne fut qu'un instant.

« Allons, Dolfi, viens te changer ! » fit la mère en colère, et elle le traîna énergiquement à la maison.

Alors le bambin se remit à sangloter à cœur fendre, son visage devint subitement laid, un rictus dur lui plissa la
200 bouche.

« Oh ! ces enfants ! quelles histoires ils font pour un rien ! s'exclama l'autre dame agacée en les quittant. Allons, au revoir, madame Hitler ! »

Dino Buzzati, « Pauvre petit garçon », dans *Le K*, traduit de l'italien par Jacqueline Remillet, © Arnoldo Mondadori Editore, 1966, © Robert Laffont, 1967 p. 80 à 86.

DINO BUZZATI – (1906-1972)

Après des études de droit, Dino Buzzati devient, à l'âge de vingt-deux ans, journaliste dans un grand quotidien de Milan, le *Corriere della Sera*. Il y restera jusqu'à sa mort. Parallèlement à son métier de journaliste, Dino Buzzati fait de la peinture, de la gravure et crée des décors pour la scène. Mais c'est à titre d'écrivain qu'il se fait surtout connaître. Son œuvre est abondante et touche tous les genres : contes, nouvelles, romans, pièces de théâtre, scénarios de films, livrets d'opéra et poèmes. L'auteur a lui-même illustré certaines de ses œuvres, dont *La fameuse invasion de la Sicile par les ours*. Malgré sa renommée internationale, Dino Buzzati ne se considérait pas comme un écrivain ; il se voyait plutôt comme un journaliste qui écrivait des nouvelles de temps à autre. Il fut pourtant l'un des écrivains les plus fascinants de son époque.

Dino Buzzati est aussi l'auteur de :
- *Le désert des Tartares* (roman, 1940)
- *Un amour* (roman, 1963)
- *Les nuits difficiles* (recueil de nouvelles, 1971)

Le balayeur

Gaétan Brulotte

Première parution : 1982.
Œuvre francophone du Québec.
Nouvelle réaliste à teneur satirique.

C'est parti. La moto file, brillante de tous ses chromes dans la rue, elle se grise de vitesse, elle vole presque, comme libre de sa pesanteur, en un défi euphorique lancé à la lourdeur du ciel bas.

5 Les bureaux viennent à peine de fermer, les magasins sont encore ouverts. Les passants ont l'air affairé en cette fin d'après-midi d'automne. Le temps s'assombrit. Les nuages grondent. Le vent pivote sur ses pentures. Les frondaisons s'affolent. Les feuilles s'éparpillent. Le monde semble sou-
10 dain chargé de sens.

Feu rouge. Stop. À la ligne d'arrêt, la moto, en bas régime, s'impatiente. Elle trépigne par grognements saccadés. Comme si elle pestait contre les embarras citadins.

Vert. Allons-y. Le moteur s'ouvre à pleins gaz. Son grom-
15 mellement devient fulmination. Le bruit de cette explosion de rage atteint vite son maximum d'intensité. La rue, activée par le clignotement des enseignes au néon et déjà illuminée de toutes ses parois de vitrines, aspire, d'un mouvement uniforme, les autos par masses. Parmi ce lent

troupeau, la moto, elle, se faufile, agile, légère, aérienne. Elle va, rapide pégase indompté, caracolant au milieu de la chaussée, refusant d'être mise au pas. À chaque dépassement, elle paraît plus sauvage et plus triomphante. Elle défie les règlements affichés sur les panneaux de la ville et les indications de ses propres cadrans. Plus elle précipite sa fuite, plus ses tuyaux d'échappement crachent à pleins feux dans une pétarade d'étincelles, et plus elle répand autour d'elle comme dans son sillage une vibrante saveur d'élévation.

En accélérant, le pilote efface en partie les déterminismes terrestres, oublie l'écrasement plat des choses et leur insignifiant destin de gravité pour goûter à la joie de l'ascension. Son corps épouse la machine : un sentiment de puissance le soulève, le bruit lui donne des ailes, le moi et le moteur fusionnent et deviennent tout entiers un seul et même impressionnant déploiement d'énergie. Les limites du monde semblent s'estomper et, les cheveux battant tel un drapeau, le motocycliste a l'impression de conquérir l'univers, de le mener au bout de ses doigts. En maniant une poignée d'admission, un levier d'embrayage et un sélecteur de vitesses, il devient soudain comme les dieux des anciennes mythologies qui, d'un simple geste, libéraient le tonnerre et le vent. Du haut de cette domination, il mesure aussi, distraitement, toute la fragilité des œuvres humaines : son œil, soûlé de vélocité, oublie aussitôt tout ce qu'il réussit à entrevoir. Le paysage urbain lui apparaît comme un décor de toile et de carton dressé pour une minute étourdie, celle-là même de son passage amnésique. Des façades théâtrales prêtes au démontage défilent de chaque côté et s'enfouissent dans le passé si éphémère du rétroviseur, avant de finalement disparaître par lampées brusques à chaque nouvelle gorgée d'air frais.

Ah ! la volupté de la vitesse ! Aller toujours plus vite pour explorer les capacités d'une force aussi élémentaire que celle d'un moteur! C'est si tentant d'accélérer puisqu'en vivant continuellement dans le risque, le pilote s'habitue aux proximités dangereuses et jauge d'un regard désinvolte les éventuels rétrécissements de l'espace. La moto court maintenant à tous gaz et double un dernier train de voitures pour parvenir en trombe à un croisement où la voie, devant, semble plus dégagée.

Mais soudain un long coup d'avertisseur déchire le sourd et industrieux grondement de la rue. Crissement de freins. Grand vacarme de collision. Fracas de verre cassé. Tout se passe avec une célérité brouillonne.

Puis rien ne va plus. Tout s'arrête.

Ici et là quelques êtres falots restent figés sur place, comme cousus, telles des poupées, dans des sacs de moleskine, et observent, empesés, le spectacle. C'est vite arrivé, vous savez, un accident. On ne parvient pas à comprendre comment ces choses adviennent. C'est toujours comme ça.

Rien ne va plus.

Icare a perdu ses ailes. Dérapage, embardée, le cheval métallique, en voulant éviter un piéton, a produit un écart, a tamponné une auto et a rebondi, en un éclair de chrome, contre un lampadaire. Quant au héros des airs, il a été projeté au loin : il s'est écrasé sur le pavé, dans le caniveau, près d'une bouche d'égout, la partie inférieure du corps complètement brisée. Le réel reprend abruptement toute sa cruelle solidité et réinstaure ses lois.

La tête échevelée et ensanglantée du motocycliste remue encore cependant, mais lourdement. Peu à peu, tout redevient comme avant. Les badauds continuent de lécher les vitrines et passent sans remarquer. La circulation reprend avec, au carrefour, cette alternance réglée des coups de freins et des accélérations. Les voitures manœuvrent habilement pour éviter le corps du blessé, mais malgré toutes ces précautions, quelques-unes viennent rouler inévitablement sur ce qui lui reste de jambes. La moto cassée nuisant, on l'a rangée bientôt à côté de la voie. Les gens font ce qu'ils peuvent. On n'a vraiment rien à leur reprocher. Il ne faut tout de même pas trop leur en demander. À cette heure, les bureaux ferment. On est pressé d'achever ses courses et de rentrer chez soi. C'est bien normal. On en a assez du travail de la journée. On n'a pas le temps ni l'envie ni l'énergie de s'impliquer dans une histoire.

Le gisant lève les yeux et, dans un effort ultime, en se traînant dans son sang, tente de se hisser sur le trottoir, car, il s'en est bien rendu compte, il nuit à la circulation. On a beau dire, la conscience sociale, ça existe, même au cœur de la plus grande panique intérieure.

La vague odeur d'essence répandue dans la rue par la chute du deux-roues ne semble pas importuner les passants. C'est toujours cela de gagné.

Mais soudain la situation se gâte. Le ciel, couvert toute la journée, se déboutonne petit à petit et, comme s'il s'agissait là d'un signal attendu, la voûte entière s'éventre et la grande averse inonde brusquement le paysage. Les gouttes tombent par milliers, par millions. Des grains durs et blancs. La météo le prévoyait. Une pluie froide mêlée de grêle. Elle surprend surtout les piétons, dont elle pince le visage. Elle réjouit les marchands, car les acheteurs affluent dans les magasins pour se protéger. Les essuie-glace des voitures commencent à grincer. Les moteurs s'impatientent au feu rouge.

Le mourant, lui, pique du nez dans l'asphalte et essaie de nouveau d'enlever son corps encombrant de la voie publique. Vainement. Il ne peut pas bouger. Son arrière-train flasque adhère au sol comme de la peau sur du métal gelé. À bout de forces, il lève encore la tête et ouvre la bouche pour appeler ou pour reprendre son souffle.

Vert. Allons-y. Le vrombissement de la circulation re-
120 commence. On klaxonne de furie contre cette chose dans la rue qu'on prend pour un clochard. On l'invective. On lui crie de libérer le chemin. Sa voix veut répondre, mais ne produit aucun son.

* * *

125 Brusquement, une modification d'atmosphère s'opère à cause de ce regard braqué sur moi maintenant : une chaleur subite monte, dirait-on, tout autour. Cette masse de viande démantibulée me dévisage, mais avec une étrange douceur de supplication. J'avoue que cet œil en détresse, et pour
130 cette raison puissant, m'intimide un peu (la souffrance, on a beau dire, est un pouvoir). Et comme il ne me quitte pas un seul instant, il m'oblige forcément à réagir. Je baisse les yeux et je continue de balayer. J'effectue mon travail du mieux que je le peux. Le patron a rarement quelque chose à
135 redire là-dessus. Un court moment, j'ai la faiblesse de considérer encore une fois le moribond, du coin de la paupière. Sa prunelle, vacillant au bord de l'inconscience, devient implorante. Mais je n'y peux rien, moi ! Il m'empêche de faire mon boulot ! Et si le patron venait à passer ? J'imagine
140 déjà sa colère. « Balayez-moi tout ça ! C'est un ordre. Qu'attendez-vous ? Que je vous rapporte aux autorités ? »

Avant, à mes débuts dans le métier, je ne dis pas, j'aurais pu commettre une erreur. On me l'aurait assurément pardonnée en l'imputant à l'inexpérience. Avant, j'aurais pu passer à côté,
145 j'aurais pu faire mine de ne pas le voir. Mais aujourd'hui, il ne m'est tout de même pas possible de l'ignorer.

« Balayez-moi tout ça ! C'est un ordre. » J'ai de l'expérience. J'ai la confiance du patron maintenant. Alors il faut nettoyer tout. Et rien de plus simple quand on a, comme
150 moi, du métier. Il s'agit d'abord d'ouvrir la grille de l'égout et ensuite avec le balai, tenu énergiquement, comme pour enlever une énorme masse de gomme, le manche coincé

sous l'aisselle pour en former un levier solide, et au besoin en s'aidant du pied, il s'agit, dis-je, de pousser la chose dans 155 le trou. Voilà. Après, il suffit de passer quelques coups de faisceau de paille sur les restes avec un peu d'eau. Et rien n'y paraît. Tout est question de technique. Avant, j'aurais probablement raté mon coup. Aujourd'hui, j'ai atteint une certaine perfection dans mon travail. Je ne sais rien de plus, 160 mais je le sais bien. J'ai ma carte de compétence. Rien ne vaut l'expérience dans un métier : c'est une chose qui ne s'achète pas. Demandez au patron.

Gaétan Brulotte, « Le balayeur », dans *Le surveillant*, Montréal, Bibliothèque québécoise, 1995, p. 39 à 45.

ꝏ Gaétan Brulotte – (né au Québec en 1945)

Auteur d'une douzaine de livres et lauréat d'autant de prix littéraires, Gaétan Brulotte publie *L'emprise*, son premier roman, en 1979. Il se tourne ensuite vers la nouvelle et redonne une impulsion au genre avec *Le surveillant* (1981). Ce recueil marque l'histoire de la nouvelle québécoise : l'univers absurde et cruel que Brulotte décrit avec un style aussi fluide que précis appelle alors des comparaisons avec Beckett et Kafka. Professeur à l'University of South Florida depuis 1984, Gaétan Brulotte est également un essayiste renommé, notamment en matière de peinture (*L'univers de Jean-Paul Lemieux*, préfacé par Anne Hébert, 1996) et de littérature érotique (*Œuvres de chair : Figures du discours érotique*, 1998). Tous genres confondus, Gaétan Brulotte poursuit avec l'écriture un seul et même objectif : « Dans le meilleur des cas, l'écrivain est quelqu'un qui peut faire avancer la conscience humaine. »

Gaétan Brulotte est aussi l'auteur de :
– *Ce qui nous tient* (recueil de nouvelles, 1988)
– *Épreuves* (recueil de nouvelles, 1999)
– *La chambre des lucidités* (essai, 2003)

Dans le noir

John Lutz

Première parution : 1988.
Œuvre traduite de l'américain.
Nouvelle policière.

— Ça me chiffonne, dit le lieutenant.

— Ça n'a pas été le cas du jury, lui répondis-je. Il m'a reconnu coupable.

Je sentis l'odeur de la peur, de l'autre côté de la table 5 cirée du parloir de la prison. Je comprenais la peur du lieutenant, je compatissais mais que pouvait-on y faire ? Cet homme avait la conscience qui le démangeait et il en serait toujours ainsi.

— Votre femme avait beaucoup d'ennemis.

10 L'écho de ces mêmes mots au fond de sa mémoire rendait sa voix plus sourde. Au procès, mon avocat avait rappelé une douzaine de fois au jury que Miriam avait des ennemis.

Naturellement, j'avais plaidé non coupable, affirmant que mes aveux m'avaient été arrachés de force. Mais j'avais 15 peu d'illusions en ce qui concernait le verdict. Le revolver encore fumant, la porte fermée à clé… La justice était aussi aveugle que moi.

J'entendis le lieutenant, mal à l'aise, changer de position sur sa chaise et respirai l'effluve citronné de sa lotion après-rasage qui se confondait avec celui du doute qui ne cesserait jamais de le tenailler. C'était lui qui avait procédé à mon arrestation, lui qui m'avait extorqué mes aveux, lui dont la déposition m'avait fait condamner. Il avait raison de douter, mais douter était tout ce qu'il pouvait se permettre.

Il se détendit un peu et sa respiration se fit plus égale. Un infime souffle de fraîcheur effleura ma joue droite : on ouvrait silencieusement la porte. Il y eut le frottement amorti d'une semelle caoutchoutée sur le sol recouvert de liège. J'entendis le lieutenant bouger et la table vibra imperceptiblement quand il se retourna. La voix de Graves, le surveillant, s'éleva :

— Il vous reste encore une dizaine de minutes, lieutenant. Après, j'ai ordre de le reconduire à sa cellule.

Je sentis le courant d'air que fit la porte en se refermant, j'entendis le cliquetis du pêne entrant dans la gâche, le ferraillement de la clé tournant dans la serrure, le soupir de frustration du lieutenant quand il se pencha en avant en face de moi.

Miriam était restée à veiller sur moi quand j'avais perdu la vue. C'est tout ce que j'ai besoin de savoir d'elle, tout ce que j'ai besoin de me rappeler. C'était la preuve de son amour.

Il est vrai qu'elle avait beaucoup d'ennemis mais quel échotier n'en a pas ? Je peux attester que tout ce qui était dit dans sa chronique indiscrète, *Miriam Moore Vous Raconte Tout*, était la vérité. Et il y a plus important encore : elle gardait pour elle beaucoup de choses qui étaient la vérité. Je suis probablement le seul à le savoir. Elle était trop soucieuse de son image soigneusement entretenue de garce pur sang pour parler à qui que ce soit des saletés qu'elle passait sous silence. Elle savait que cette image lui conférait une certaine crédibilité auprès de ses lecteurs, ce qui avait pour conséquence de faire grossir régulièrement son compte en banque.

Après mon accident, les frais médicaux avaient atteint des montants astronomiques.

Je crois en toute sincérité que si l'accident ne s'était pas produit, s'il n'avait pas fallu faire en sorte que je survive après ces mois de ténèbres passés à l'hôpital, elle aurait laissé tomber sa rubrique. Personne ne savait quel tourment étaient pour elle certaines choses que déclenchaient ses potins. J'essayais de la convaincre qu'elle n'était pas responsable de ce que faisaient les gens qui se trouvaient soudain confrontés à la vérité. Le plus terrible était que ni elle ni moi ne le croyions réellement.

— La balle qui lui a troué la tempe avait été tirée à moins de trente-cinq centimètres, reprit le lieutenant. Qu'un homme frappé de cécité ait pu se servir d'un revolver avec une précision pareille, ça, je ne peux pas l'avaler.

Le doute ne cesserait jamais de le tarauder.

— Mon avocat aurait dû vous faire citer comme témoin à décharge.

— Vous avez été condamné à la peine capitale, Edwards. Vous serez le premier condamné à mort qui sera exécuté aux termes de la nouvelle législation adoptée par cet État. Mais ça paraît vous laisser indifférent et ça me tourmente presque autant que la précision de ce coup de feu mortel.

Je haussai les épaules.

— Il y a peu de détenus aveugles qui réussissent à s'évader. J'étais déjà mort quand Miriam est morte. Je savais que ce serait ce qui arriverait et j'ai quand même pris la décision de la tuer. Je suis dans de sales draps mais c'était prévu.

— Et si vous me disiez la vérité à titre strictement confidentiel ? suggéra le lieutenant d'un ton de conspirateur. Il est désormais hors de question de revenir sur la chose jugée et vous pourriez toujours nier que cette conversation a jamais eu lieu si vous le désirez.

— La vérité a éclaté lors de mon procès, comme il se doit.

Il soupira encore. J'étais navré pour lui et j'avais hâte qu'il s'en aille. Il n'y avait rien de plus à ajouter. On m'avait retrouvé, le revolver à la main, dans une pièce fermée à clé de l'intérieur; Miriam, une balle dans la tête, gisait à mes pieds. Comment le lieutenant pouvait-il reprocher au jury de m'avoir reconnu coupable? Et que pouvait-il se reprocher à lui-même? Il n'aurait jamais dû entrer dans la police: c'était un homme au cœur sensible et il était condamné à souffrir.

J'entendis grincer les pieds de la chaise et je sentis la caresse de l'air sur mon visage quand il se leva. Il avait perdu la partie et son échec, la question concrète qui demeurerait à jamais sans réponse, suintait dans toute la pièce.

— C'est votre dernière chance, Edwards, dit-il, sachant que c'était sa dernière chance à lui. Je voudrais savoir… j'ai besoin de savoir… si vous êtes vraiment le coupable.

J'aurais voulu tout lui raconter mais c'était un risque que je ne pouvais prendre. Il se prépara à ajouter quelque chose mais s'interrompit et quitta brusquement le parloir. Le bruit de ses pas s'éloigna de l'autre côté de l'épaisse porte. J'étais seul.

Je restai assis, les mains posées sur le dessus poli de la table. Malgré moi, je repensais à ce jour où la détonation avait soudain retenti comme un coup de tonnerre, à la peur qui me tordait le ventre tandis que j'avançais en rampant sur le tapis rugueux vers l'endroit où quelque chose était tombé comme une masse avec un bruit qui vibrait encore dans l'air. Mes mains tâtonnaient éperdument comme deux créatures autonomes, explorant chaque centimètre de l'épais tapis de haute laine. Et puis… quelque chose d'humide et de poisseux, le trou profond, la blessure béante, le revolver, la chair flasque…

120 J'avais le revolver dans ma main quand je m'étais traîné jusqu'à la porte pour donner un tour de clé. J'entendais déjà des pas de plus en plus sonores dans le couloir. On avait frappé. Longtemps. Je n'avais pas bougé. Ils avaient finalement enfoncé la porte.

125 Je ne leur ai jamais dit la vérité. Je ne leur ai jamais dit que la fière et sagace Miriam Moore s'était donné la mort. Je lui dois bien cela – et plus encore. Ils n'ont jamais découvert sa lettre, le mot que j'avais coincé après l'avoir plié et replié entre la plinthe et le mur au-dessus du plancher.

130 Ils m'ont trouvé assis par terre, adossé au mur, étreignant l'arme du crime. Faisant figure d'assassin aux yeux de tout tribunal impartial.

Maintenant, le lieutenant s'interroge et j'ai de la peine pour lui. Et aussi longtemps que je garderai le silence, je me 135 poserai, moi aussi, des questions. Suis-je effectivement coupable en un sens que le jury ne pouvait pas imaginer? Suis-je responsable de la mort de Miriam? Je sais que, jusqu'à la fin, une question ne cessera de me hanter, plus obsédante encore que celle qui torture le lieutenant. Une 140 question que je ferais n'importe quoi pour ne pas avoir à l'affronter.

Qu'y avait-il d'écrit dans le billet de Miriam?

John Lutz, « Dans le noir », dans *Les contes de l'amère loi,* traduit de l'américain par Michel Deutsch, Paris, Gallimard, 1989, p. 129 à 133.

JOHN LUTZ – (NÉ AUX ÉTATS-UNIS EN 1939)

C'est en 1966 que John Lutz voit sa première nouvelle policière publiée dans le *Alfred Hitchcock's Mystery Magazine*. Depuis, il a signé trente-cinq romans et plus de deux cents nouvelles qui lui ont valu plusieurs prix et des milliers de lecteurs avides d'aventures angoissantes. En 1989, *Les contes de l'amère loi*, en tant que meilleur recueil de nouvelles policières traduit en français, lui permettent de remporter le Trophée 813, décerné par l'Association des amis de la littérature policière. En 1992, son suspense psychologique *JF partagerait appartement* est porté au grand écran. John Lutz partage son temps entre St-Louis et la Floride, où se déroulent plusieurs de ses récits.

John Lutz est aussi l'auteur de :
– *Un trop bel innocent* (roman, 1986)
– *Ça sent le brûlé* (roman, 1987)
– *La poupée qui tue* (roman, 1990)

ÇA

Monique Proulx

Première parution : 1996.
Œuvre francophone du Québec.
Nouvelle réaliste à teneur sociale.

C'est couché sur le trottoir. On dirait une sculpture. Off-off-ex-post-moderne. On s'approche. Ça pue quand on s'approche, ça pue et ça remue, diable ! ça a des yeux. Ça tient un grand sac vert qui déborde de choses. On veut voir 5 ce qu'il y a dans le sac. Ça jappe un peu quand on arrache le sac, heureusement ça ne mord pas. On ouvre le sac.

Déboulent silencieusement jusqu'à la rue une bouteille de caribou vide, de l'argent Canadian Tire, un chandail de hockey troué, une carte périmée de la STCUM, un morceau 10 de Stade olympique, un lambeau de société distincte, et une vieille photo, une photo de ça quand c'était humain et petit et que ça rêvait de devenir astronaute.

Monique Proulx, « Ça », dans *Les aurores montréales*, Montréal, Boréal, 1996, p. 197.

℘ MONIQUE PROULX – (NÉE AU QUÉBEC EN 1952)

Pour Monique Proulx, « l'écrivain doit être un architecte rigoureux dont le premier devoir est de rendre ses obsessions intéressantes ». L'auteure a construit six livres autour d'une « obsession » particulière : les pulsations contradictoires du cœur humain. Monique Proulx fait son entrée dans les lettres en 1983 avec *Sans cœur et sans reproche*, un recueil de nouvelles. Ses deux premiers romans – *Le sexe des étoiles* (1987) et *Homme invisible à la fenêtre* (1993) – lui donnent l'occasion de travailler comme scénariste : elle signera en effet le scénario des deux films qui en seront tirés. Avec son second recueil de nouvelles, *Les aurores montréales* (1996), elle esquisse vingt-sept destins dans les rues de la ville. En 2008, Monique Proulx fait paraître son sixième livre, *Champagne*, un roman dans lequel la nature est un personnage, et où l'écrivaine rend hommage à son lieu de création privilégié : « C'est en donnant des œuvres, comme un arbre donne ses fruits, que l'on continue d'une certaine façon le travail de la nature. »

Monique Proulx est aussi l'auteure de :
- *Souvenirs intimes* (scénario, 1999)
- *Le cœur est un muscle involontaire* (roman, 2002)

ÇA N'AVAIT AUCUN SENS

JEAN-PAUL BEAUMIER

Première parution : 1998.
Œuvre francophone du Québec.
Nouvelle réaliste à teneur humoristique.

Ça n'avait aucun sens de faire un aller-retour Québec-Montréal dans la même journée à trente-sept semaines de grossesse. Sa mère, sa sœur, sa belle-sœur, même son beau-frère qui a toujours une idée sur tout, tout le monde le 5 lui avait répété. Mais, grossesse ou pas, trente-sept semaines ou pas, beau-frère ou pas, Alice n'en continuait pas moins d'en faire à sa tête. Et ce n'est surtout pas l'arrivée du bébé qui allait y changer quelque chose.

Elle avait toujours su s'organiser et elle ne voyait pas 10 pourquoi il en serait autrement avec un enfant. Tout était prêt. Elle avait trouvé une gardienne pour les premiers mois et le nom d'Étienne figurait sur la liste d'attente d'au moins trois garderies qui répondaient à ses exigences, tant en ce qui concernait les soins apportés aux bébés, le régime ali- 15 mentaire, que l'aspect des lieux, la luminosité, la proximité d'espaces verts, la fréquence des sorties, les mesures de sécurité et d'hygiène. Le petit être à qui elle avait enfin consenti à aménager un espace-temps dans sa vie n'avait plus qu'à se montrer le bout du nez le moment venu, soit autour du sept juin comme le lui avait confirmé son gynécologue lors de sa dernière visite.

Elle comptait s'accorder entre huit et dix semaines de congé de maternité et reprendre ses activités à la fin de l'été. Ainsi, rares seraient ses clients qui remarqueraient son absence ou s'en étonneraient. Mais, d'ici là, elle devait prendre les bouchées doubles. Elle prévoyait travailler jusqu'au vendredi précédant l'accouchement afin d'avoir le plus de temps possible par la suite avec son enfant. Elle consacrerait les derniers jours à terminer ses courses et à lire un livre sur l'allaitement qu'elle avait acheté il y avait plusieurs mois déjà. Se risquait-on à lui faire remarquer que son rythme effréné ne convenait pas à une personne dans son état, elle pouffait de rire et rétorquait qu'elle se portait très bien merci.

Alice ç'avait toutefois pas le cœur à rire en attendant dans les corridors de l'urgence de l'hôpital Notre-Dame. Pourquoi, se répétait-elle tout en sachant que cela ne servait à rien, pourquoi s'était-elle entêtée à faire ce voyage alors qu'elle aurait simplement pu envoyer ses maquettes de couverture par un service de messagerie ? L'infirmière qui l'avait vue à son arrivée lui avait dit qu'ils ne la garderaient probablement pas à l'urgence et, si elle avait alors espéré rentrer chez elle, l'interne lui avait vite fait comprendre que la suite des événements ne dépendait plus d'elle. Du moins, pas entièrement. Elle devait en prendre son parti, elle ne repartirait pas seule. Pour la première fois depuis des années, elle avait ressenti une immense tristesse et elle avait dû se retenir pour ne pas éclater en larmes devant l'interne.

Tout avait commencé dans le bureau de la directrice d'édition. Il faisait une chaleur exceptionnelle en ce début mai et la climatisation faisait défaut. Ils échangèrent quelques plaisanteries de circonstance sur le sujet (y avait-il encore de la neige à Québec ?), puis Alice avait étalé ses maquettes de page couverture de la nouvelle collection jeunesse, lorsqu'elle s'était soudainement sentie mouillée. Sous le regard inquiet de la directrice et de son adjoint, Alice s'était précipitée à la salle de bains en espérant s'être trompée. Mais elle avait dû se rendre à l'évidence : elle venait bel et bien de perdre ses eaux.

L'interne avait été catégorique : il n'était absolument pas question qu'elle rentre à Québec. Sans doute pour faire de l'humour et la mettre en confiance, il ajouta que, de toute façon, elle n'aurait pas à payer le passage de retour du bébé. Mais Alice l'écoutait à peine tant elle se reprochait son imprudence.

Puis ç'avait été la kyrielle de questions posées une première fois par l'infirmière, une deuxième fois par l'interne qui détournait les yeux dès qu'elle le fixait du regard et, enfin, par le gynécologue qui était de garde ce soir-là. Date des dernières menstruations ? Était-elle régulière ? Date du test de grossesse ? Était-ce son premier accouchement ? Avait-elle déjà fait une fausse couche ? Un avortement ? Avait-elle eu des problèmes particuliers en cours de grossesse ? Des allergies à certains aliments ou à certains médicaments ? Quel était son poids avant d'être enceinte ? Envisageait-elle d'allaiter ? Qui devait-on contacter au besoin ? Était-elle sensible à la douleur ? À cette dernière question Alice s'était demandé ce qu'elle devait répondre : un non signifierait-il qu'on lui refuserait une péridurale le moment venu ? Elle répondit que son choix était arrêté depuis longtemps en ce qui concernait le type d'accouchement qu'elle souhaitait et personne ne lui ferait changer d'avis à ce sujet.

Avec l'arrivée de l'équipe du soir, Alice avait dû relater, une fois de plus, sa mésaventure à l'infirmière qui s'occupait maintenant d'elle, mais cette fois elle ne réussit pas à le faire avec humour. Plus les heures passaient, plus elle se sentait devenir petite, comme l'autre Alice, celle du miroir qui avait croqué le mauvais côté du champignon. Elle écoutait distraitement l'infirmière lui raconter à quel point elle aimait Québec, une si belle ville, si romantique, ah le château Frontenac, la terrasse Dufferin, les plaines d'Abraham, le Vieux-Québec ! Ce qu'elle était chanceuse de vivre à Québec, la vie devait y être tellement plus agréable pour élever des enfants.

Le parfum des lilas en fleurs s'immisçait par la fenêtre entrouverte de la chambre où se trouvait Alice et elle se dit qu'à son retour à Québec les lilas écloraient une seconde fois. Elle s'efforçait maintenant d'accepter ce qui lui arrivait avec le détachement qu'elle avait toujours su manifester lorsque les choses ne se passaient pas exactement comme elle le souhaitait. Après tout, accoucher à Montréal ou à Québec ne changerait pas grand-chose à la suite des événements. Comme elle se sentait mieux debout, on lui permit de marcher dans le corridor, mais sans s'éloigner. Lorsque les contractions devinrent régulières, on la fit s'étendre puis on la conduisit à la salle d'accouchement où elle attendit l'arrivée de l'anesthésiste.

Quand, vers onze heures, ce dernier se pointa enfin, Alice dut se mordre les lèvres pour ne pas lui demander où il était passé durant toutes ces heures. À peine la regarda-t-il tant il était empressé d'annoncer à son collègue que le match éliminatoire opposant les Canadiens aux Bruins de Boston venait de prendre fin après les trois périodes réglementaires et le compte était toujours égal. Il y aurait donc une supplémentaire, et les deux hommes, en même temps que l'anesthésiste procédait à la péridurale, ne s'entendaient pas à savoir quand cela s'était produit la dernière fois entre les deux équipes. Seule l'infirmière parlait à Alice en lui souriant, l'air de dire : eh oui, le hockey, on n'y échappe pas ! tout en lui rappelant de respirer profondément.

Ses jambes devenaient de plus en plus lourdes et, n'eût
120 été l'éclairage cru, les allées et venues du médecin, elle aurait
pu se sentir bien, croire qu'elle était ailleurs lorsqu'elle fermait les yeux, qu'elle avait enfin réussi à traverser le miroir.

Moins d'une heure plus tard, Alice donnait naissance à un garçon de neuf livres et trois onces qui mesurait presque
125 vingt-deux pouces. « Avec des pieds comme les siens, avait dit le médecin, il aura un fameux coup de patin. » Il le déposa ensuite sur son ventre et s'absenta quelques minutes. Alice eut conscience de son retour lorsqu'il s'installa à nouveau au pied du lit pour faire les points, comme il le lui avait
130 expliqué, à la suite de la déchirure qui s'était produite malgré l'épisiotomie qu'il avait dû pratiquer pour faciliter la sortie du bébé. Comme elle s'inquiétait de l'importance des déchirures, elle lui demanda :

« Alors docteur, comment ça s'annonce ?
135 — Très bien, les Canadiens passent en finale. »

Jean-Paul Beaumier, « Ça n'avait aucun sens », dans *Dis-moi quelque chose*, Québec, L'instant même, 1998, p. 23 à 27.

JEAN-PAUL BEAUMIER – (NÉ AU QUÉBEC EN 1954)

On peut le dire de tout écrivain, mais c'est particulièrement vrai pour Jean-Paul Beaumier : les lettres et les mots auront défini son parcours et sa vie. Le nouvelliste québécois a d'abord enseigné le français en Louisiane, puis la littérature et la linguistique à Trois-Rivières, avant de se faire terminologue à l'Office de la langue française à Québec. En 1985, Jean-Paul Beaumier participe à la fondation de la maison d'édition L'instant même. Depuis, il y a fait paraître quatre recueils de nouvelles : *L'air libre*

(1988), *Petites lâchetés* (1991), *Dis-moi quelque chose* (1998) et *Trompeuses, comme toujours* (2006). « La nouvelle surgit au moment où l'on s'y attend le moins. D'un geste, d'une odeur, d'une parole entendue, d'un silence », explique l'auteur qui, par l'écriture, cherche à « voir les choses sous un autre angle, à faire contrepoids à la réalité ».

Jean-Paul Beaumier est aussi l'auteur de :
– *L'air libre* (recueil de nouvelles, 1988)
– *Petites lâchetés* (recueil de nouvelles, 1991)
– *Trompeuses, comme toujours* (recueil de nouvelles, 2006)

Les Claude

Éric Fourlanty

Première parution : 1999.
Œuvre francophone du Québec.
Nouvelle réaliste à teneur psychologique.

Vingt-trois ans après s'être croisés dans un autobus, Claude et Claude s'aimaient encore. Ce mardi matin-là, l'un montait à bord tandis que l'autre descendait, l'obligeant à serrer son sac contre sa poitrine. Ils s'étaient déjà reconnus du regard lorsque les raisins tombés du sac entrouvert transformèrent le hasard de leur rencontre en nécessité. Les excuses balbutiées de part et d'autre achevèrent de semer le trouble, et Claude descendit à l'arrêt suivant avec l'air affairé des gens cherchant à donner l'impression de savoir où ils vont. Il rentra chez lui, but un porto en solitaire, fixa longuement la moulure déglinguée encadrant la porte du salon, puis rangea l'image du visage de Claude comme on oublie un porte-bonheur dans la poche intérieure d'un vieux veston.

L'autre y pensa plus longuement, jouant avec le souvenir de cette minute comme un chat d'une boule de papier froissé, la faisant rouler sous ses doigts, en évaluant la forme, le poids et la résistance, la dépliant peu à peu pour mieux la refondre dans les plis de sa mémoire. Claude poussa le jeu

20 jusqu'à reprendre le même autobus, le mardi suivant, à la même heure. L'autre n'y était pas.

Un peu plus d'un an s'écoula – trois cent soixante-neuf jours exactement, comme Claude se plaisait à le rappeler – avant qu'ils ne se rencontrent à nouveau ; cette fois-ci avec 25 présentations officielles, poignées de mains et toutes les excuses du monde pour parler de tout et de rien. Tous deux enseignants, ils avaient été mutés dans le même établissement, seule école secondaire d'une petite ville de province qui n'offrait aucune diversion aux chemins qui se croisent. Claude et 30 Claude se croisèrent donc de plus en plus souvent. Ils se découvrirent des terrains d'entente, jaugèrent leurs limites respectives, cultivèrent une intimité grandissante, et s'abandonnèrent aux plaisirs simples d'une nouvelle rencontre.

Très vite, on les appela les Claude. Parfois agacés, mais le 35 plus souvent flattés par cette appellation commune, ils affichaient, sans honte et sans fierté, le plaisir d'être ensemble. Si, dans leur entourage, il y eut, au début, une curiosité bien naturelle, elle se dissipa avec le temps, faisant place à des « C'est comme ça », teintés de respect, de pudeur et d'une 40 pointe d'envie. Personne, dans le cercle d'amis qu'ils commencèrent à fréquenter, ne songea à leur trouver un sobriquet propre à chacun ; et l'on s'habitua très vite à ce que deux têtes se tournent lorsqu'on prononçait leur prénom.

Dès qu'on rencontrait l'un, l'autre n'était pas bien loin, 45 et les nouvelles rencontres – amoureuses ou autres – furent marquées au sceau de cette alliance sourde aux lois de la raison, assujetties à la condition tacite que l'autre Claude fît partie du décor, comme le membre indéfectible d'une famille choisie.

50 Les rendez-vous succédèrent aux rencontres fortuites et les après-midi d'été aux petits déjeuners impromptus. Les soirées, les journées, les années s'écoulèrent dans leurs mains qui se frôlaient, et leurs silences conjugués disaient le lien

qui les unissait. Ni l'un ni l'autre ne trouvait à redire à cet arrangement qui n'en était pas un. Besoin d'absolu ou faiblesse de caractères pour qui le confort fait toute la différence ? Aucun des deux ne put se résoudre à poser la question, et encore moins à y répondre. À force de remettre l'échéance au lendemain, la vie passa avec non moins de violences, de silences et d'errances que s'ils eussent été seuls.

Lorsque Claude eut une petite fille, l'autre, tout naturellement, fut choisi comme parrain. C'était dans l'ordre des choses et le naturel même avec lequel leurs vies s'entremêlaient écarta toute médisance, ragot ou soupçon de la part des collègues, amis ou conjoints. Eux seuls savaient la force et la fragilité du sentiment qui sourdait au tréfonds de leurs âmes, et nul n'était mieux placé qu'eux pour savoir qu'on ne trouble pas impunément l'eau qui dort. Ils ne la troublèrent donc pas, se laissant porter par le courant, profitant des rapides autant que des nappes d'eau claire, laissant les années voguer au fil de l'eau.

Il y eut, de part et d'autre, des amours et des voyages, des amitiés et des aventures, des méprises et des doutes, mais jamais la certitude – tantôt forte, tantôt floue – de faire partie de la vie de l'autre ne fut entaillée. Il y eut, tout au plus, un relâchement d'un an, lorsque Claude partit en Italie pour y mener une recherche de maîtrise. Le souper d'adieu se fit entre amis, alors que le vert tendre du jardin annonçait déjà les chaleurs de l'été. À la nuit tombée, on multiplia les toasts, on renouvela les vœux de bonheur, on jura de s'écrire régulièrement, et les Claude firent tout pour que la soirée soit insouciante. Les adieux furent hâtifs et ponctués de « À demain ! » rigolards, et, à force d'appréhension, l'envie de légèreté fut si forte qu'elle réussit à masquer la mélancolie du moment.

La correspondance soutenue dura un mois. Lorsqu'elles s'espacèrent, les lettres se bornèrent à l'anecdotique : impressions de lectures, commentaires aigres-doux sur la vie provinciale d'un côté, réflexions à l'emporte-pièce sur la douceur des paysages 90 toscans, de l'autre. Au bout de six mois, les Claude ne s'écrivaient plus ; un peu par paresse, mais surtout parce qu'ils avaient senti, chacun de son côté de l'océan, le danger qu'il y avait à préserver par écrit cette fragile et précieuse bulle commune, rendue abstraite par la distance qui les séparait. Sans 95 que l'amour qu'ils se portaient ne se fît jamais, les Claude se rendirent compte que la présence physique leur était indispensable pour entretenir ce qui les unissait. Loin des yeux et loin du corps, chacun vaquait à ses occupations, gardant au fond du cœur, en veilleuse, le souvenir tangible, mais diffus, 100 de l'existence de l'autre.

Dans les six mois qui suivirent, ils ne se parlèrent qu'une fois au téléphone, sous le prétexte d'une formalité administrative qui aurait pu être réglée de façon plus directe. Aucun des deux n'exprima sa surprise de réaliser, en entendant cette 105 voix chère, à quel point l'autre lui manquait, se contentant de « C'est gentil d'appeler… » et autres « Quoi de neuf ? » Le pincement au cœur qu'ils ressentirent les jours suivants, alors que l'absence se faisait plus aiguë, s'estompa peu à peu, surgissant parfois au réveil lorsqu'une vague sensation de manque 110 colorait le souvenir d'un rêve fait la nuit même. Lorsque Claude revint d'Italie, leur joie mutuelle de se revoir fut brève, faisant place, avec une aisance déconcertante, au sentiment très fort et très doux de ne s'être jamais quittés.

En vingt-trois ans, les Claude ne tentèrent qu'une fois de 115 se dire ce qui les liait, au terme d'un souper bien arrosé. Malgré, ou à cause, de l'alcool, ils dosèrent trop les mots, les regards et les gestes, et ne purent qu'ébaucher une esquisse du sentiment irréductible qui les unissait, et semblait s'estomper dès qu'ils essayaient de le nommer. Ils jurèrent, dans leur for 120 intérieur, de ne plus parler de ce rare état de communion, et de protéger l'essence de ce trait d'union qui les reliait en pointillé, leur semblait-il à tout jamais.

Au fur et à mesure que le temps passait, le sentiment intime de vivre en parallèle se précisait. Jumeaux dissemblables, ils n'en finissaient plus, jour après jour, d'apprendre l'un sur l'autre. Sans jamais chercher une fusion à laquelle ils ne croyaient pas, ils se réchauffaient, par temps mauvais, à la certitude – réconfortante jusque dans le doute – que l'un répondait à l'autre dans ce qu'il avait de plus obscur et de meilleur. Ils ne vieillirent pas ensemble mais côte à côte, pareils à ces arbres riverains dont les racines, mises à nu par les pluies annuelles telles des veines sous la peau qui s'affine, se découvrent peu à peu et indiquent l'aval de l'amont.

Lorsque Claude succomba à une crise cardiaque, Claude n'y était pas, en vacances avec sa fille, maintenant grande, sur une plage au sable si blanc qu'il fallait des lunettes de soleil pour discerner le regard des gens que l'on y croisait. On tenta vainement de les rejoindre et lorsque la petite famille atterrit à l'aéroport, l'incinération avait déjà eu lieu. Dans les semaines qui suivirent, la fille de Claude évita de l'appeler par son prénom, se contentant, parfois, de poser une main attentive sur son épaule, ranimant une ancienne douleur entre les deux omoplates qui s'était réveillée lors du voyage de retour.

Les mois passèrent avec, en filigrane, des souvenirs piqués dans la mémoire de Claude comme des aiguilles dans une poupée vaudou : son trouble passager, mais vif, lorsque leur prénom commun se concrétisait sous son stylo signant un chèque ; sa peine lorsqu'un regard en coulisse évoquait celui tant aimé ; sa douleur quand un inconnu, dans une file d'attente, lissait ses cheveux du revers de la main comme le faisait Claude. Chaque présence soulignait son absence ; jusqu'à sa fille qui, en pinçant ses lèvres d'une moue dont on ne savait si elle était de mépris ou de défi, ravivait le souvenir

155 de l'ami en allé. Claude était sorti de sa vie avec la même fulgurance qu'il y était entré, et l'autre s'accrochait à la mémoire de son *alter ego* comme à un amour qui n'en finit pas de mourir.

Ce fut dans un autobus que Claude prit conscience que 160 l'autre était mort; lorsque le chauffeur, arrivé en bout de ligne, se pencha doucement et lui demanda:

— Vous attendez quelqu'un, madame?

Sans répondre, elle descendit, serrant son sac contre sa poitrine, ses longs cheveux blonds masquant son visage où 165 se perdait un sourire triste.

Éric Fourlanty, « Les Claude », dans *La mort en friche,* Québec, L'instant même, 1999, p. 9 à 14.

✿ ÉRIC FOURLANTY – (NÉ EN FRANCE EN 1960)

Les premiers textes de l'écrivain et journaliste Éric Fourlanty portent sur le grand écran: pendant treize ans, il s'occupe de la section « Cinéma » de l'hebdomadaire *Voir*, à Montréal. Ce rôle l'amène à cosigner *Le violon rouge* (1999), un livre d'entretiens avec François Girard, réalisateur du film éponyme. La même année, Éric Fourlanty présente un premier recueil de nouvelles, *La mort en friche*. En 2007, avec deux de ses anciens collègues de *Voir*, Jean Barbe et Juliette Ruer, il publie une anthologie populaire, *Histoires de...: Récits radiophoniques*, dans laquelle les auditeurs d'une émission de radio livrent par écrit anecdotes et confessions intimes.

Éric Fourlanty est aussi l'auteur de:
– *Le violon rouge* (livre d'entretiens, 1999)

Alexandrie, Alexandrie

Nicolas Dickner

Première parution : 2000.
Œuvre francophone du Québec.
Nouvelle fantastique.

Attrape-papillon, n. m. (v. 1839 ; répertorié en Icarie par Aoud Al Ded, lors de son dernier voyage). L'oasis, lieu essentiel dans l'histoire de l'errance, ne constitue pas tant un point d'accueil que la mince ligne entre deux morts : au-delà de cette frontière le voyageur meurt de soif, en deçà il périt noyé. L'invention de la bouée de sauvetage et de l'oasis portative est venue chambouler un instinct de survie jusqu'alors basé sur le subtil équilibre entre l'attirance et la répulsion, toute inhibition de l'un ou l'autre de ces pôles compromettant sérieusement l'existence. Pour l'école des Dédalistes, l'attrape-papillon n'est pas l'irrésistible en deçà de la ligne de vie : il s'agit plutôt du poids qui dort en chaque homme, guettant l'occasion de le faire choir dans l'entonnoir de la lumière. Voir **Fennec (complexe du)** et **Héliotropie icarienne**. (*Encyclopédie du petit cercle*, tome I, p. 214.)

Au terme d'un long et pénible voyage depuis Babylone, en Chaldée, monsieur Gorde avait rencontré monsieur Gotop au marché de Persépolis. L'un désirait retrouver son frère, qui habitait au-delà du désert, à Alexandrie ; l'autre collectionnait les cartes du désert. Ils étaient faits pour s'entendre.

Ils allèrent prendre le thé et discutèrent de départ. Monsieur Gorde sortit de son portefeuille les gravures sur papyrus de son frère, tandis que monsieur Gotop étalait ses cartes en peau de chèvre sur la table, bousculant la théière et les petits sablés. Ils parlèrent du frère exilé, d'Alexandrie la Grande, des nuits dans le désert et des *wadis* boueux. Ils s'empressèrent de louer les services d'un chamelier, achetèrent des chameaux, des provisions et de l'eau, et le lendemain à l'aube ils partaient pour Alexandrie.

Monsieur Gotop prit la tête de la caravane : il avait installé en travers de sa selle, en guise de table à cartes, une tablette de scribe qu'il disait avoir appartenu à Imhotep, et il officiait en tant que navigateur, jouant du compas et de la règle à longueur de journée. Ils commencèrent par rebrousser le chemin que monsieur Gorde avait parcouru.

— Vous vouliez aller à Alexandrie, mon pauvre monsieur Gorde, disait-il avec une pointe de condescendance, mais elle se trouvait justement sur votre chemin lorsque vous descendiez de Babylone, tout juste à la pointe de la mer Persique ! Vous avez vraiment eu de la chance de me rencontrer.

Monsieur Gorde acquiesçait en silence — et comme le chamelier, pour sa part, n'ouvrait la bouche que pour conseiller une piste à suivre ou un lieu de bivouac, ce fut un voyage fort silencieux. Ils atteignirent Alexandrie dix jours plus tard. C'était une belle cité, pas très étendue, toute de terre cuite et recuite par le soleil et entourée par des remparts de brique ocre. En pénétrant dans les murs, ils demandèrent à un légionnaire s'il connaissait Noé Alex

Gorde, de Babylone. Le soldat, qui parlait à peine leur langue, n'eut pas l'air de connaître l'homme.

55 — C'est pourtant quelqu'un d'important, insista monsieur Gorde en exhibant les gravures sur papyrus de son frère. Un Chaldéen, grand savant et fier guerrier, un homme que l'on remarque.

— Attendez, marmonna Monsieur Gorde en consultant
60 ses cartes. Il est possible que votre frère n'habite pas ici...

Et il expliqua qu'existait une seconde Alexandrie de l'autre côté de Persépolis, vers l'Indus, et qu'il n'était pas impossible que son frère y fût. La méprise s'avérait pour ainsi dire inévitable.

65 Après s'être formellement assurés que Noé Alex n'habitait pas dans cette ville-ci, ils revinrent sur Persépolis et, de là, voyagèrent encore douze jours avant d'atteindre l'autre Alexandrie. Il s'agissait d'une cité beaucoup plus petite que la précédente : après avoir traversé un vaste champ de
70 ruines, que l'on devinait être d'anciennes pelures de la ville, l'on trouvait une petite oasis autour de laquelle s'agglutinaient une centaine de bâtiments en brique rouge ; une Alexandrie tenant davantage du caravansérail que de la ville impériale.

75 Ils hélèrent un chamelier qui menait ses bêtes à la palmeraie, le fusil à l'épaule. Il baragouinait un dialecte ancien et incompréhensible. Heureusement, le chamelier de monsieur Gorde connaissait quelques bribes de ce dialecte : il réussit à comprendre qu'aucun Noé Alex n'habitait ici, et
80 qu'il existait de surcroît une autre Alexandrie, à une quinzaine de jours de chameau vers l'Hindú-Kúsh. L'information fut transmise à un monsieur Gotop sceptique, qui consulta attentivement ses cartes et finit par s'écrier que, *bien sûr !*, il y avait cette Alexandrie-là. Il se mit à éplucher fébrilement
85 son atlas, échafaudant le meilleur trajet pour continuer vers

la troisième Alexandrie, lorsqu'il tomba soudain en arrêt, le doigt pointé sur une carte, le front plissé. D'une voix un peu hésitante, il apprit à monsieur Gorde qu'une quatrième Alexandrie se trouvait au nord de la Gédrosie. Après une seconde de silence, plus bas, il ajouta que sa carte indiquait une autre Alexandrie, encore plus au nord.

— Et il y a également Alexandrie du Kavkhaz, Alexandrie-Eschata, Alexandrie sur l'Indus, sans compter le port d'Alexandre, Alexandropolis et toutes les autres petites Alexandrie qui ne sont pas indiquées sur la carte.

Monsieur Gotop avait terminé d'une voix éteinte, presque un murmure. Après s'être entendus, ils achetèrent des vivres et de l'eau à prix d'or et repartirent sur la route de l'Hindú-Kúsh.

Ils parvinrent à l'Alexandrie suivante, de l'autre côté de l'Étymandre, après quinze jours de chameau. La ville, toute blanche et dépourvue de remparts, s'étirait sur les flancs d'une colline. Ils voulurent se renseigner auprès d'un paysan maigrichon qui moulait son blé à l'aide d'une machine à vapeur, mais celui-ci parlait un jargon absolument incompréhensible. Monsieur Gorde fit le tour du quartier en montrant le portrait sur papyrus de Noé Alex. Chacun lui laissa entendre, par des gestes et des mimiques, qu'il ne l'avait jamais vu.

Ils décidèrent donc de persister vers l'est, de remonter l'Indus puis de traverser l'Hindú-Kúsh jusqu'à Alexandrie-Eschata, au nord de Maracanda, d'où ils reviendraient vers le sud : ils effectueraient ainsi un vaste cercle leur permettant de visiter toutes les Alexandrie indiquées sur les cartes de monsieur Gotop. Celui-ci calcula qu'il leur faudrait compter approximativement neuf mois pour accomplir ce périple.

Une nuit, près d'Alexandrie-Kandahár, le chamelier s'enfuit avec un chameau en guise de salaire. Messieurs Gorde et

Gotop n'en firent pas un drame: le chamelier ne se rendait plus guère utile, puisqu'il ne connaissait pratiquement pas cette contrée éloignée. De surcroît, il devenait chaque jour plus difficile de comprendre ce qu'il disait, comme si son dialecte eût été protéiforme. Ils continuèrent seuls jusqu'à Alexandrie-Kandahár, ville hérisson blottie au creux d'un vallon et couverte d'antennes de télévision et de radio.

Les habitants y mâchouillaient une langue non seulement obscure, mais dont les consonances ne rappelaient plus rien aux oreilles de monsieur Gorde et de monsieur Gotop. Seul le mot *Alexandrie* demeurait plus ou moins compréhensible dans cet embrouillamini linguistique. Ils montrèrent le portrait sur papyrus de Noé Alex à un homme qui posait une antenne parabolique sur son toit: il le retourna plusieurs fois et le gratta de l'ongle, comme si le papyrus l'intriguait davantage que le portrait dessiné dessus. Puis il haussa les épaules et retourna à son bricolage sans dire un mot.

Ainsi que le craignait monsieur Gotop, plusieurs Alexandrie apparurent que ses cartes n'indiquaient pas. Ils en trouvèrent quatre de plus au nord-est d'Alexandrie-Kandahár, et encore trois le long de l'Indus; rendus en Bucéphalie, ils découvraient une Alexandrie tous les deux jours. C'étaient parfois des villes énormes et grouillantes, impossibles à traverser en moins d'une journée, et d'autres fois des amas de ruines où campaient des nomades hirsutes et silencieux. Souvent, monsieur Gorde ne se donnait plus la peine de comprendre les dialectes environnants, ne sortait plus le vieux portrait de papyrus élimé; monsieur Gotop, pour sa part, ne consultait plus ses cartes que rarement.

Un soir, dans l'Hindús-Kúsh, ils se disputèrent. Ils avaient traversé, durant l'après-midi, une Alexandrie minable et déprimante. Un gamin crasseux avait jeté une canette de Coca-Cola rouillée à la tête de monsieur Gorde, et le chameau de monsieur Gotop s'était mis à boiter de façon inquiétante après avoir donné de la patte contre le rebord d'un trottoir. Au moment de préparer le repas, ils butèrent sur une boîte de conserve qu'ils ne savaient pas ouvrir. Ayant élaboré des théories contraires quant à la meilleure manière d'éventrer le contenant, ils se lancèrent mutuellement des bêtises.

— Fermez-la, Gotop ! On voit où elles nous ont menés, vos théories de méhariste du dimanche ! *(Méprisant.)* Allez donc grignoter vos cartes !

— Fumier complet, je vous rappelle que c'est pour mettre la patte sur votre fantôme de frère que nous sommes ici ! *(Condescendant.)* Et donnez-moi cette boîte : vous passeriez la nuit dessus, incapable que vous êtes !

— *(Hargneux.)* Si vous aviez acheté des dattes plutôt que ces machins incomestibles, espèce d'âne buté, nous aurions déjà mangé !

— *(Amer.)* Ah ! Parce que vous en avez trouvé, vous, des dattes ?

Et tandis qu'ils se chamaillaient comme des vautours, la nuit tomba. Ils se découvrirent bientôt plongés dans le noir, essoufflés, affamés, à court d'insultes. Une brise froide se mit à souffler du nord-ouest, et Gotop s'accroupit pour chercher un manteau dans le fouillis de sa besace. Gorde, en silence, s'approcha de lui et mit la main sur son épaule.

— Gotop, regardez, murmura-t-il d'une voix agonisante.

Gotop se releva en tremblant : partout sur l'horizon des myriades de lumières multicolores jetaient dans le ciel un brouillard orange ; un grondement sourd couvrait le bruit des grillons et le sable vibrait désagréablement sous le pied. Des centaines de villes, camouflées durant le jour, émergeaient lentement du sable, lourdement habillées d'échangeurs routiers, cernant les voyageurs de leurs innombrables lumières

185 au mercure, rotatives, filiformes, halogènes, tubulaires et hypnotiques. Gorde et Gotop se serrèrent l'un contre l'autre. Par-dessus la multitude des lumières se dressaient de hauts panneaux publicitaires au néon rouge et clignotant, pièges automatiques à papillons de nuit, où grésillait sans cesse le
190 même mot : Alexandrie, Alexandrie, Alexandrie…

Nicolas Dickner, « Alexandrie, Alexandrie », dans *L'encyclopédie du petit cercle*, Québec, L'instant même, 2000, p. 15 à 20.

Nicolas Dickner – (né au Québec en 1972)

Avant de se consacrer à l'écriture, Nicolas Dickner a aiguisé sa curiosité au fil des voyages : il a en effet parcouru les Andes et l'Europe, a vécu au Pérou et en Allemagne. Il publie un premier recueil de nouvelles en 2000, *L'encyclopédie du petit cercle*, duquel émane la joyeuse et savante influence de Jorge Luis Borges. Le goût de l'aventure et l'imaginaire sans frontières du jeune écrivain se déploient à nouveau dans son roman *Nikolski* (2005), qui récolte une myriade de prix. Suivent en 2006 *Boulevard Banquise*, un conte pour enfants, et *Traité de balistique*, un recueil de nouvelles écrit à quatre mains sous le pseudonyme d'Alexandre Bourbaki. Nicolas Dickner est actuellement chroniqueur littéraire à l'hebdomadaire *Voir*.

Nicolas Dickner est aussi l'auteur de :
- *Nikolski* (roman, 2005)
- *Boulevard Banquise* (conte pour enfants, 2006)
- *Traité de balistique* (recueil de nouvelles, 2006)

Le père de son fils

Esther Croft

Première parution : 2007.
Œuvre francophone du Québec.
Nouvelle réaliste à teneur psychologique.

La dernière fois. La dernière fois que je m'occupe de lui. Ça sert à quoi de vouloir le sauver ? Le rendre encore plus fort dans sa perversité ? Des années que je m'acharne pour rien. Jamais l'ombre d'un résultat. Pas la moindre amélioration. Juste un peu plus habile en vieillissant. Plus manipulateur. Un pur délinquant. Un irrécupérable. Voilà ce que j'aurais dû comprendre dès le début dans les propos du travailleur social. Qu'il aille au diable une bonne fois pour toutes et qu'on n'en parle plus. Jamais.

Depuis son arrivée à l'aéroport, Jean-François Migneault fait les cent pas dans la section des arrivées. Incapable de s'arrêter un seul instant ; ni de s'éloigner des grandes portes fermées qui le séparent de la salle des douanes. Incapable de s'asseoir et d'ouvrir le journal qu'il tient roulé serré dans sa main droite. Comme s'il se préparait à frapper le museau d'un chien fou. Est-ce que le quotidien contient encore aujourd'hui une bombe prête à lui exploser en pleine figure ? Est-ce qu'on y fait allusion au retour de son fils, Raphaël ? Il n'en sait rien. N'a pas réussi à se rendre au-delà de la page couverture. Encore une photo catastrophe du dernier ouragan. Il s'en fout. N'est même pas parvenu à s'émouvoir de la dérive des cadavres à la surface des eaux pourries. Submergé, il l'est lui-même suffisamment par la colère qui n'en finit pas de déferler en lui ; de charrier ses détritus entre son ventre et son cerveau. Inutile d'en rajouter.

Des enfants comme lui, ça ne sait rien faire d'autre que d'épuiser leur entourage. Tout prendre et tout détruire, voilà ce qui les intéresse. Pour le seul plaisir de saccager. Des autos, des commerces, des parents, des carrières : ne font même pas la différence. Raphaël n'est pas différent de ces jeunes casseurs qu'on voit à la télé. Ne le sera jamais. Il a seulement été un peu plus protégé que les autres. Mieux défendu par un père naïf. À présent, j'ai compris. Plus un sou. Plus une minute rognée sur mon travail. Plus une seule démarche pour le sortir du trou.

Sa mère avait raison. Dès le début de l'adolescence, elle avait tout compris. Et choisi consciemment de le laisser tomber. J'aurais dû faire comme elle. Partir loin et recommencer une nouvelle famille. Qu'il apprenne à porter seul les conséquences de ses actes. « S'il veut rater sa vie, c'est lui que ça regarde, avait-elle fini par admettre, moi, je n'en peux plus, je démissionne. Je disparais avant qu'il me détruise complètement. » Quel choix me restait-il ? Pouvais quand même pas l'abandonner à mon tour. Jamais pu me résigner à le confier à quelqu'un d'autre. Bien trop souffert de l'indifférence de mon père pour ignorer mon fils. Étais prêt à tout pour préserver le lien. Les vols, les mensonges, l'intimidation, la drogue, les échecs, les renvois. Toujours fini par passer l'éponge pour ne pas le perdre tout à fait. Pour éviter surtout qu'il se perde lui-même. Pardonner et essayer de croire encore en lui. Malgré les offenses et les abus de toutes sortes. Maintenant, c'est fini. Il est allé trop loin.

Pour la cinquième fois, Jean-François Migneault vient se poster devant le tableau des arrivées. Le vol en provenance de Mexico est toujours prévu pour onze heures trente. Plus que deux autres vols avant celui de Raphaël et de son avocat. C'est bien peu de temps pour se refaire une beauté du cœur, pour calmer ses pensées meurtrières. Le corps, comme d'habitude, sait ne rien dévoiler. Facile de préserver les apparences quand on patine son image depuis des années. Costumes gris foncé à petites rayures, chemise et cravate sobrement assorties, chaussures de cuir fin, chevelure impeccable qui assume ses premiers cheveux gris. Même les yeux et les lèvres ont appris à demeurer rassurants, malgré l'intensité des tumultes. Un refrain de Brel arrive à sa rescousse. « Être désespéré, mais avec élégance », se répète-t-il en lui-même en revenant sur ses pas. D'un mur à l'autre, il reprend son va-et-vient fébrile. N'ose pas lever les yeux de peur de croiser un regard de mépris. Un sourire arrogant prêt à lui garrocher la première pierre. Tout le monde ici l'a reconnu, c'est certain. Connaît par cœur son histoire. Tous les journaux l'ont divulguée. Et plutôt deux fois qu'une. Un ministre peut peut-être réussir à sauver la face, mais pas à changer de visage. La présence de son chauffeur, même réservée, même distante, lui rappelle à chaque instant qu'il est un homme public, même au cours de son drame le plus intime. Pour combien de temps encore ?

Des semaines à croire que le tunnel était presque traversé. Que la lumière commençait à se séparer des ténèbres. Et tout d'un coup cet appel désolé, alarmant. Désespérant. Délégation du Québec à Mexico. « Votre fils arrêté à la frontière pour possession de cocaïne. Il aura besoin de vous, monsieur le ministre, pour le sortir de là. » De mon influence, vous voulez dire. De mon compte en banque et de mon avocat. Comme d'habitude. De ma réputation aussi, peut-être, si jamais il m'en reste un petit peu. Un fils menteur. Un fils raté. Petit aventurier de mes fesses. Un non-fils. La prochaine fois, je le laisse crever, seul au milieu des rats. On verra bien s'il peut les apprivoiser tous. Comme celui qu'il tenait au chaud dans sa poche de chemise. Juste pour me provoquer.

Plus l'heure avance, plus la salle d'attente semble se resserrer. Les visiteurs commencent à manquer d'air. À se bousculer. À se marcher sur les pieds. Un gardien de sécurité vient d'ouvrir les portes pour libérer les passagers en provenance de San Francisco. Des familles entières semblent venir se reconstituer à l'appel chaotique des haut-parleurs. Des élans de joie, des embrassades à ne plus finir, des gerbes de fleurs exubérantes, de larges mouvements de bras au-dessus de la mêlée. Tant de bonheur à retrouver l'être aimé, l'ami, le parent, le frère. L'enfant prodigue. Jean-François Migneault semble le seul, ici, à redouter le premier contact de celui qu'il vient chercher. Pendant qu'il tente de fuir l'explosion des retrouvailles, il est intercepté par une femme qui s'avance vers lui en poussant un fauteuil roulant. Malgré sa timidité, elle ose aborder le ministre de l'Éducation pour lui exprimer sa gratitude ; grâce à lui, son fils pourra bénéficier d'une aide substantielle. L'adolescent à demi paralysé le regarde longuement de son œil chaviré ; lui bégaie, dans un effort bouleversant, des propos incompréhensibles. Le ministre aimerait bien s'approcher du jeune, poser sa main sur son épaule, trouver pour lui quelque mot bienveillant. Il parvient à peine à répondre au sourire de la mère. Celle-ci trouve quand même l'audace de lui murmurer discrètement : « Tenez bon, monsieur le ministre. Vous allez réussir. »

Réussir quoi au juste ? Ah oui, j'oubliais. Le meilleur budget proposé depuis longtemps. Des crédits généreux pour l'encadrement des élèves en difficulté. Un ratio maître-élèves inespéré. Des relations harmonieuses avec les enseignants. Et puis après ? Quand j'étais jeune, je m'épuisais à vouloir épater mon père avec des bulletins exemplaires. Il les parcourait à peine avant de les signer machinalement, comme un compte de téléphone. Aujourd'hui, c'est mon fils qui m'ignore et qui m'anéantit. Tous les jours de sa vie, j'ai été là, à ses côtés, à m'efforcer d'être le père que je n'ai pas connu. C'est sa mère qu'il cherchait. Et j'ai dû supporter seul l'odieux de l'absence. Jamais été foutu de me faire reconnaître là où ça comptait vraiment. Ça sert à quoi de vouloir devenir quelqu'un si on ne peut empêcher nos fils de se disloquer sous nos yeux ? de se noyer dans des eaux qui ne sont jamais assez turbulentes à leur goût ? Quel budget sera assez puissant pour sauver les enfants qui crachent à pleine bouche sur le monde qu'on leur a préparé ? Jusqu'où vont-ils aller pour arracher de force ce qu'on n'a pas réussi à leur donner ?

Jean-François Migneault reprend sa marche inutile autour de la salle d'attente. Du mur à l'escalier. De la fenêtre aux portes coulissantes. De loin, son chauffeur tente d'attirer son attention, risque même quelques signes de la main. Peine perdue. Le père et le ministre sont beaucoup trop occupés à régler leurs vieux contentieux ; à tâcher, une fois de plus, de dresser au fond d'eux-mêmes le bilan de leurs fausses réussites et de leurs vrais échecs. Le père ne voit pas le petit groupe de jeunes venus accueillir l'un des leurs dans leur tenue réglementaire : pantalon de camouflage, baskets, t-shirt noir et casquette. Le ministre ne perçoit rien des regards qui se tournent vers lui, des voix qui chuchotent derrière son dos, des pas qui s'écartent sur son passage. Pas plus qu'il ne voit l'agent d'Air Canada s'approcher de son chauffeur pour lui glisser une information à l'oreille. Aucun des deux ne ressent le mouvement de déception qui part du tableau d'affichage et se répand d'un bout à l'autre de la salle d'attente.

Pourtant. Cette fois-ci, j'avais vraiment repris espoir. Tellement soulagé quand il m'a dit qu'il voulait partir. Changer de vie. Participer à un projet d'aide humanitaire. Tout de suite pensé que cela pourrait le sauver. Enfin un désir qui l'écarterait de ses cercles vicieux. L'éloignerait de ses amitiés suspectes. Le mettrait à l'abri des mauvaises influences. Trouverait peut-être un but qu'il jugerait valable. Évidemment, le Guatemala… Le banditisme à grande échelle. Les tremblements de terre. La corruption. Le lynchage. Les nombreuses disparitions. Mais j'étais prêt à jouer le tout pour le tout. Mettre en veilleuse mes propres inquiétudes pour lui permettre de vivre une expérience digne d'un vrai rêve. Enfin! Enfin un projet qui n'était pas que malfaisant. Bien sûr que j'étais prêt à l'aider. Entreprendre moi-même les démarches auprès de Québec sans-frontières. Signer tous les papiers qu'il faudrait. Camoufler même certaines vérités pour augmenter ses chances. Me serais mis à genoux aux pieds de l'ONG pour qu'il soit accepté.

Ses premiers courriels! Me rendaient fou de joie. Pouvais les relire cinq fois d'affilée en me félicitant d'avoir persévéré. Un enthousiasme jamais manifesté auparavant. L'intensité de son engagement. L'éveil de sa conscience sociale. Tous les soirs, mon premier geste en rentrant à la maison: ouvrir l'ordinateur et vérifier les nouveaux messages. Si heureux d'en trouver un que même les fautes ne me faisaient plus réagir.

« Aujourd'hui, on a terminer le premier mur de l'école. Les enfants du village sont venu nous applaudir. J'avais envie de pleuré […]

Tout les matins, on se lève à six heures. C'est difficile. J'ai mal partout. Mais ça fait du bien de se sentir utile. Si tu me voyait, tu serait fier de moi […]

Avec le chef de groupe, on a mis sur pied une équipe de football. Au début, je trouvait ça niaiseux. Tu sais comment j'ai toujours haï le sport. Mais les enfants sont tellement content de joué. Tu devrait les entendre rire. Ça donne envie de resté ici plus longtemps que prévu […] »

Quand j'y pense ! Me faire emberlificoter à ce point-là. Me remplissait comme une poubelle et moi, j'applaudissais. Ses courriels, qui donc les écrivait à sa place ? Et d'où provenaient-ils au juste ? Même après avoir été informé de sa disparition, j'en recevais encore, régulièrement. Il avait déjà déserté le stage depuis plusieurs jours que moi, innocemment, je continuais de m'émouvoir de ses premières réalisations. Pauvre naïf. Diriger l'un des plus importants ministères du gouvernement et se laisser entourlouper aussi bêtement. Cette fois-ci, c'en est trop. Il va me le payer. Fini de le surprotéger. Plus de pardon, plus d'éponge. Même plus d'effort pour préserver le lien. Il est majeur à présent. Qu'il endosse sa vie et qu'il me laisse enfin m'approprier la mienne. À partir de maintenant, je n'ai plus de père et je n'ai plus de fils.

Discrètement, le chauffeur parvient à se faufiler jusqu'à son ministre. D'un léger signe de tête, il lui désigne le tableau des arrivées devant lequel s'agglutine déjà un nombre impressionnant de visiteurs. L'écran indique que le vol en provenance de Mexico est retardé. Sans avoir le temps de réagir, Jean-François Migneault est entraîné au milieu des rumeurs de mécontentement jusqu'au silence sombre d'un salon privé. Là, on lui explique que l'avion a un problème de moteur et de train d'atterrissage et qu'il ne peut se rendre à sa destination finale. Pour l'instant, l'appareil doit d'abord vider ses réservoirs au-dessus de Boston avant de se poser. Il n'entend plus rien quand on lui dit de ne pas s'inquiéter, qu'on maîtrise la situation et qu'il n'y a aucune raison de s'alarmer. Il connaît ces mots-là et le vide qu'ils dégagent. Il connaît surtout l'urgence qu'ils tentent de camoufler.

On l'invite à s'asseoir. Il refuse de tout son corps. A peur de s'effondrer dans ces fauteuils trop confortables. Préfère rester debout face au téléviseur suspendu dans un coin du salon. Juste à côté du bar. Commande machinalement une double vodka jus d'orange. La vodka, c'est pour lui; le jus d'orange, il aimerait bien l'offrir à Raphaël. Isolé au centre du salon V.I.P., il se sent aspiré par un vide sans nom. Réduit à une ombre errante quelque part entre ciel et terre, à se chercher un dieu qui voudrait bien se laisser prier. Ses yeux eux-mêmes se détachent de lui pour aller s'agripper à l'écran qui transmet en direct le parcours erratique de l'avion en détresse. Les caméras ont déjà eu le temps de s'installer au premier rang pour capter la catastrophe. Jean-François Migneault imagine son fils, à l'intérieur, cramponné à son siège peut-être, dans son pantalon de camouflage, son t-shirt noir et sa casquette. À côté de qui? Quel étranger se permet de vivre la fin du monde à ses côtés? A sûrement mal au cœur. Toujours souffert du mal des transports depuis qu'il est petit. L'avion s'incline à gauche, chaque fois qu'il décrit un nouveau cercle; on peut voir son aile trembloter sous l'action du vent. Ne pas le perdre de vue un instant. Le soutenir de toute la force de ses épaules, de sa respiration et de sa foi naissante. Comme Raphaël, il tourne en rond, interminablement, entraîné malgré lui dans les cercles vicieux d'un voyage insensé. Et comme lui, sans doute, il traverse sa mémoire comme un banc de nuages épais qui aurait fini par avaler toute la lumière. Depuis le commencement. La naissance par césarienne. Les nuits inexplicablement agitées. Le refus de s'alimenter. La dépression de sa mère. Les conflits sournois et jamais reconnus. Son mutisme obstiné. Sa beauté troublante à travers ses gestes violents. Ses crises insupportables au moindre prétexte. Son air de défi quand on le contrariait. Les premiers affrontements. Le jet du boyau d'arrosage à plein pouvoir sur le visage de sa mère, à trois ans et demi. Ses questions éblouissantes quand il sentait que l'on doutait de lui. Ses yeux capables de soutenir longuement votre regard tout en restant impénétrables. L'insoutenable peur de le perdre lors d'une fièvre inexpliquée à l'âge de six ans. Son pouvoir inquiétant de manipuler son entourage. Ses remarques, aussi brillantes qu'impertinentes, devant l'autorité. Sa tendance révoltante à dilapider ses talents. Ses premiers échecs et ses premiers renvois. Le souverain mépris qu'il opposait au moindre effort. Ses fugues inexpliquées et ses retours d'une bonne humeur désarmante. Son habileté à maintenir des attitudes mensongères plus crédibles que la sincérité. Une vraie naïveté, une vraie gentillesse qu'il savait avoir, parfois, et qui vous chavirait. Qui vous ramenait, invariablement, à la case départ. Celle du pardon et de l'éternel recommencement.

Depuis plus de deux heures maintenant, Jean-François Migneault est toujours là, debout, immobile, au centre du rayon bleu projeté par le téléviseur. À scruter jusqu'à l'hypnose la trace des ronds dans l'air. À crever une à une toutes les bulles des mauvais souvenirs et les laisser se perdre, à jamais, dans l'espace. À serrer très fort son mouchoir au fond de sa poche pour éviter d'avoir à s'en servir.

Lorsque l'appareil touche enfin le sol, le ventre de la carlingue s'enflamme instantanément. Depuis la tête jusqu'à la queue. La ligne de feu tant redoutée qui vous arrête aussitôt de respirer. Comme si le moindre souffle risquait de provoquer l'explosion fatale. Puis le feu s'éteint de lui-même, tout doucement. Bien avant l'arrivée des pompiers. Jean-François Migneault pousse un long soupir, qui lui déchire la poitrine. Le traverse comme un sanglot trop longtemps réprimé. À son chauffeur qui n'a pas encore osé sortir de l'ombre, il fait signe qu'il est prêt. Il prendra le premier vol en partance pour Boston ; il ramènera son fils à la maison. Et pour la millième fois de leur existence commune, ils tenteront de tout recommencer. Sur son épaule, il a l'impression

285 de sentir la main de la femme poussant son fils dans son fauteuil roulant. Et de l'entendre murmurer pour lui seul : « Tenez bon, monsieur le ministre. Vous allez réussir. »

Esther Croft, « Le père de son fils », dans *Le reste du temps*, Montréal, XYZ éditeur, 2007, p. 33 à 41.

Esther Croft – (née au Québec en 1945)

Adolescente, fascinée par les télé-théâtres de Marcel Dubé, Esther Croft découvre le pouvoir de l'écriture : « J'écrirai, moi aussi, pour faire entendre ce qui se tait en moi et autour de moi. J'ai quinze ans et je veux comme Dubé avoir accès à ce qui se cache "De l'autre côté du mur". » Esther Croft signe d'abord des textes pour la radio, avant de se consacrer principalement à la nouvelle, son genre de prédilection : elle a publié quatre recueils, dont *Au commencement était le froid* (1993), pour lequel elle a remporté le prix Adrienne-Choquette, et *Le reste du temps*, en 2007. La « nouvelliste de l'empathie absolue » fait aussi écrire les autres : elle dirige depuis plusieurs années des ateliers d'écriture à Québec, sa ville natale.

Esther Croft est aussi l'auteure de :
- *La mémoire à deux faces* (recueil de nouvelles, 1987)
- *Tu ne mourras pas* (recueil de nouvelles, 1997)
- *De belles paroles* (roman, 2002)

Mollusques, vers, échinodermes, cœlentérés et infusoires

Laurent Theillet

Première parution : 2007.
Œuvre francophone du Québec.
Nouvelle réaliste à teneur psychologique.

J'ai toujours été fasciné par les petits animaux. Les animaux rares et à la physiologie complexe. Le plus rare et le plus compliqué possible, telle était ma devise. Je me souviens du jour où mon père est parti, j'étais dans ma chambre en train de recopier et de mettre en couleur une planche du dictionnaire : « *Mollusques, vers, échinodermes, cœlentérés et infusoires* ». Mon père s'était penché par-dessus mon épaule, il était resté silencieux un moment puis avait déclaré d'une voix neutre : « *Tu as l'air de bien t'amuser… Il faut que je parte… Tu es grand, je ne te manquerai pas.* » Et il était parti, j'en étais alors à « Argonaute », je venais de terminer « Spondyle » et « Limace ».

J'avais tout un élevage d'escargots dans le jardin, mais attention !… Un vrai, avec fossés bordés d'iris, abris de bois, claies à verdure… Enfin je ne voudrais pas être ennuyeux avec ça… Évidemment ce n'était pas des escargots destinés à être farcis d'ail et de persil, c'était mes animaux de compagnie, comme d'autres ont des chiens ou des chats. Mais avant d'en finir avec ce discours oiseux sur les gastéropodes, il faut que je rajoute encore une chose importante. « La » chose importante. C'est que ces escargots-là s'échappaient fréquemment, ils prenaient la poudre d'escampette comme disait ma mère en riant. C'est donc eux qui naturellement me donnèrent l'idée de partir, de quitter la maison. Oui, naturellement. J'avais alors dix ans.

Mon père était déjà parti depuis plusieurs mois, je ne savais pas où il vivait, je savais juste qu'il était parti ailleurs, ma mère ne m'en parlait jamais. Il n'avait jamais été très présent, ainsi il ne me manquait pas... Il avait eu raison. Ma mère avait un emploi de secrétaire dans une agence immobilière durant toute la journée, ma tante m'amenait à l'école et venait m'y chercher tous les soirs, le reste du temps je m'occupais de mes animaux, mes escargots.

Une fois ma décision prise, je voulais être vraiment prêt. Comme j'avais choisi de m'enfuir à vélo, je m'entraînais tous les soirs, trois fois le tour du chemin Rossi avec un détour par le canal. Je n'avais choisi aucune destination précise, je pensais juste partir du côté du canal, jusqu'à la route nationale, après on verrait bien. Je laisserai un mot pour ma mère, je libérerai mes bêtes, puis je partirai. Tel était mon plan.

J'avais une amie, Julia, qui habitait la maison d'à côté, je lui avais fait part de mes projets, nous en parlions tous les jours. Je pense qu'elle n'y croyait pas vraiment, c'était seulement un jeu pour elle, un jeu un peu plus excitant que les autres. Elle disait qu'elle m'aurait bien accompagné, mais qu'elle avait sa petite sœur, qu'elle ne pouvait pas la laisser, qu'elle serait morte sans elle. Elle aimait bien ce genre de choses, ce romantisme familial. De toute façon, c'était seul que je voulais partir, grandir, trouver un métier, peut-être sur un bateau. Pour le romantisme j'étais, il me semble, au moins aussi doué que Julia.

Le jour est venu où il a fallu que je me décide à partir. Tout était prêt, mes escargots étaient libres, un mot pour ma mère était posé sur la table de la cuisine : « Ne t'inquiète pas, je reviendrai un jour, je t'embrasse. » Et j'avais mis de côté un peu d'argent pour manger et boire.

L'aube était à peine levée alors que je cheminais sur ma bicyclette, le long du canal. J'avais mon sac à dos avec une couverture, un cahier, un stylo à bille, un dictionnaire de poche, du pain, du fromage et une bouteille d'eau. Mais aucun endroit où aller, aucune idée en tête, et un peu de peur au ventre, il faut bien le dire.

Julia devait m'attendre devant le canal, près du pont, pour me dire au revoir ou plutôt « Adieu », cela convenait mieux à l'idée qu'elle se faisait d'un départ. Le mot adieu signifiait « loin », « longtemps », « toujours », « jamais »… Et cela me satisfaisait tout à fait. Mais Julia n'était pas venue. Elle n'avait pas dû se réveiller assez tôt… J'avais donc tout mon temps pour réfléchir à ma destination. Une décision s'imposa, évidente : le port. D'abord manger un peu, puis filer vers les quais pour voir partir les bateaux et attendre ma chance. C'est ainsi que je suis arrivé sur le port, confiant et plein d'espérances. La tête emplie d'images exotiques, d'arbres géants, de voiles gonflées par le vent, de mers déchaînées…

Sur le quai du Commerce, l'agitation était à son comble, des hommes avec des caisses sur des chariots, des bruits de ferraille, des cris, des odeurs de gazole, de goudron… Je posai ma bicyclette contre un réverbère et me dirigeai vers le groupe d'hommes qui travaillaient tout près. Un parmi eux avec une casquette bleu marine jeta un coup d'œil dans ma direction d'un air suspicieux. Je m'approchai timidement de lui pour demander si personne n'avait besoin « d'un jeune mousse à qui le travail ne faisait pas peur ». J'avais lu ça dans un livre, je me disais que ça marcherait peut-être. Mais à vrai dire je me doutais un peu de la réponse, la vie ce n'était pas comme dans les livres. Même le dictionnaire… En tout cas pas toujours. Je m'étais donc approché doucement de l'homme à la casquette, et avant que j'aie pu demander quoi que ce soit, il avait déjà pris la parole :

— Qu'est-ce que tu fais là ? Tu vois pas qu'on travaille ? C'est pas un terrain de jeux. Rentre chez toi… Allez !...

J'étais allé récupérer ma bicyclette en baissant la tête. Ce que je redoutais était arrivé. Je m'y attendais, je n'étais pas idiot, pas tout à fait. On ne travaille pas à dix ans. Les mousses ne devaient même plus exister. Même ma mère avait du mal à garder son travail.

J'étais donc reparti en direction de la route nationale, la Nationale 7, je m'étais arrêté un long moment sur le bord du trottoir pour regarder la mer. Il y avait de grandes vagues pointues, il y avait les voitures sur la route, leurs souffles froids dans mon dos et sur ma nuque ; et derrière moi, plus loin, le canal, les maisons, Julia qui devait être triste de ne pas avoir pu me dire adieu ; et mes escargots qui prenaient la poudre d'escampette.

J'avais attaché ma bicyclette à un poteau et j'étais descendu sur la plage. Je m'étais longuement promené sur le bord de l'eau, mes pieds nus raclant le sable et l'écume, à regarder le ciel grandir au-dessus du soleil, et les ailes noires et pointues des oiseaux de mer. Une chose m'était quand même arrivée, j'avais eu finalement un peu de chance. J'étais tombé sur des haliotides. De magnifiques oreilles de mer aux coquilles brillantes, irisées, éparpillées sur les galets du bord de l'eau.

J'avais passé le reste de la journée devant la mer, ne sachant plus que faire, désespéré de ne pas exister dans un livre, de ne pas pouvoir être seulement un nom sur une page. Même celui d'un simple mousse.

Quand la nuit était arrivée, j'avais enfourché ma bicyclette et après avoir hésité un moment en regardant apparaître les 120 étoiles, *Grande Ours... Polaire...* les seules que je connaissais bien, je m'étais décidé à aller voir Julia pour tout lui raconter et surtout, lui dire que ce n'était que partie remise. Mais arrivé devant sa maison, je n'avais plus eu envie. À vrai dire je n'avais plus envie de rien, j'étais égaré, je me sentais perdu, 125 bien plus que si j'avais été au centre de l'océan, sur un navire, à des milliers de kilomètres de là. J'avais honte aussi. Honte de n'être que moi-même. Je me sentais seul, sans aucune envie, sans la moindre envie de voir qui que ce soit, pas même Julia... Et mes escargots étaient partis, eux.

130 Il n'y avait aucune lune, la nuit était totale au-dessus du jardin, la fenêtre de la salle à manger éclairait faiblement les cyprès. Je n'avais pas peur, je ne portais plus ni peur ni envie. Il y avait le vide en moi. Mes mains étaient glacées, je m'en souviens bien, j'avais posé mon vélo contre la porte du 135 garage, et c'est à ce moment-là que ma mère était sortie. Elle avait les yeux brillants. Elle m'avait regardé droit dans les yeux, j'avais vu les reflets jaunes de la lampe du salon dans ses pupilles, puis elle avait dit : *« Il est arrivé quelque chose aujourd'hui, une chose grave »*, je m'étais dit que ça devait être 140 au sujet de mon échappée, et elle avait continué : *« Ton père... Ton père est mort hier soir... Nous partirons après-demain en bateau pour l'enterrement... J'avertirai ton institutrice. »* J'étais resté un moment immobile à essayer de comprendre pourquoi je n'avais pas envie de pleurer, puis 145 j'étais allé chercher une lampe de poche dans le garage. Je pourrais toujours retrouver une partie de mes escargots. Et effectivement je les avais presque tous retrouvés.

Laurent Theillet, « Mollusques, vers, échinodermes, cœlentérés et infusoires », dans *Il paraît qu'il fait froid*, Gatineau, Éditions Vents d'Ouest, 2007, p. 71 à 76.

ꟃ LAURENT THEILLET – (NÉ EN FRANCE EN 1962)

Qu'ont en commun Arnold Schwarzenegger, les quais de Bordeaux et l'équipe nationale française de rugby? Ils ont tous été pris en photos par Laurent Theillet qui, avant de signer son premier recueil de nouvelles, a été photographe de presse en France. Dans *Il paraît qu'il fait froid* (2007), le photographe raconte dix moments charnières dans la vie de personnages qui côtoient la mort. Laurent Theillet vit et écrit maintenant à Montréal, où il met au point son premier roman, *Minus Circus,* qui sera destiné aux jeunes lecteurs.

Laurent Theillet est l'auteur de:
– *Il paraît qu'il fait froid* (recueil de nouvelles, 2007)